mieux vivre avec

l'insuffisance cardiaque

SOCIÉTÉ QUÉBÉCOISE D'INSUFFISANCE CARDIAQUE

Ilustration et conception graphique de la page couverture :
Alain Lapointe

Conception graphique et illustrations des personnages du livre :
Johanne Dupuis

Pour obtenir des exemplaires :

Société québécoise d'insuffisance cardiaque (SQIC)

5000, rue Bélanger est, Montréal (Québec) H1T 1C8
Téléphone : 514-376-3330 Télécopieur : 514-593-2575
www.sqic.org
sqic@icm-mhi.org

Remerciements

La Société québécoise d'insuffisance cardiaque (SQIC) tient à remercier les membres du Comité de validation de la SQIC dirigé par Dr Martine Montigny, qui ont rédigé et révisé ce document :

Diane AUDET, M.Sc.,
Physiologiste de l'exercice
CARL/Cité de la Santé de Laval

Danielle BEAUDOIN, B.Sc.,
Infirmière clinicienne
Hôpital Laval, Québec

Chantal BELLEROSE, Dt.p.,
Diététiste-nutritionniste clinicienne,
Hôpital Général Juif de Montréal

Jean BOURNIVAL, M.Sc.,
Pharmacien,
CHA Hôtel-Dieu de Lévis

Simon DE DENUS, M.Sc.,
Pharmacien,
Institut de Cardiologie de Montréal

Pierre DESGAGNÉ, Ph.D.,
Physiologiste de l'exercice,
Hôpital Laval, Québec

Anique DUCHARME, M.D., M.Sc.,
Cardiologue,
Institut de Cardiologie de Montréal

Chantal GUÉVREMONT, Dt.p.,
Diététiste-nutritionniste clinicienne,
CARL/Cité de la Santé de Laval

Sonia HEPPELL, M.Sc.,
Infirmière,
Institut de Cardiologie de Montréal

Joanne LAROCQUE, Dt.p.,
Diététiste-nutritionniste clinicienne,
Institut de Cardiologie de Montréal

Dominique LEFEBVRE, B.Sc.,
Kinésiologue,
CHUM-Hôpital Notre Dame, Montréal

Pascale LEHOUX, Ph.D.,
Psychologue,
CHUM-Hôpital Notre-Dame, Montréal

Josée LEVERT, M.Sc.,
Infirmière
Centre hospitalier de Verdun

Josée MARTINEAU, M.Sc., BCPS,
Pharmacienne,
CARL/Cité de la Santé de Laval

Martine MONTIGNY, MD, M.Sc.,
Cardiologue,
CARL/Cité de la Santé de Laval

Sonya PAGE, Dt.p., M.Sc.,
Diététiste-nutritionniste clinicienne
Hôpital Royal Victoria, Montréal

SOCIÉTÉ QUÉBÉCOISE
D'INSUFFISANCE
CARDIAQUE

MISE EN GARDE

Les auteurs, la Société québécoise d'insuffisance cardiaque (SQIC) désire mettre en garde tout patient et lecteur de ne pas hésiter à consulter le médecin pour toute situation clinique ou thérapeutique où il ne se sent pas à l'aise.

Les protocoles décrits dans ce document sont généraux et peuvent ne pas s'appliquer à un patient en particulier.

·Tout produit mentionné dans cet ouvrage doit être pris en accord avec les informations fournies par le manufacturier.

SOCIÉTÉ QUÉBÉCOISE
D'INSUFFISANCE
CARDIAQUE

*Les auteurs remercient toutes les cliniques membres de la
SQIC dont le matériel didactique a inspiré ce document.*

La Société québécoise d'insuffisance cardiaque (SQIC) est heureuse d'offrir aux patients atteints d'insuffisance cardiaque, ce livret intitulé :

Mieux vivre avec l'insuffisance cardiaque

La SQIC est une corporation à but non lucratif et représente un regroupement de professionnels de la santé (infirmières, nutritionnistes, ergothérapeutes, physiothérapeutes, kinésiologues, travailleurs sociaux, psychologues, pharmaciens et médecins) impliqués dans le suivi médical de patients avec insuffisance cardiaque.

L'un des objectifs de cette société est de promouvoir la communication entre les divers intervenants de la santé qui s'occupent de patients souffrant d'insuffisance cardiaque, afin d'améliorer la qualité des soins à administrer, la qualité et la durée de vie et ainsi réduire les complications de ces patients.

Pour vous qui souffrez d'insuffisance cardiaque, ce livret est un outil élaboré pour vous aider à mieux comprendre votre maladie.

Ce livret vous permettra également de mieux saisir l'importance de la prévention, de l'alimentation, de l'activité physique et des médicaments utilisés pour améliorer les symptômes reliés à votre maladie.

De plus, on y aborde les facteurs d'adaptation psychologique et on y donne des conseils d'usage pratique à utiliser dans la vie de tous les jours.

La SQIC tient à remercier le Comité de validation composé de plusieurs professionnels membres de la SQIC qui, sous la supervision de Dr Martine Montigny, ont su créer une ressource inestimable pour les patients.

Nous espérons que vous apprécierez l'information résumée dans ce livret et que vous saurez profiter pleinement des conseils prodigués.

- Dr Normand Racine,
Président - Société québécoise d'insuffisance cardiaque

table
des matières

SECTION
1

QU'EST-CE QUE
L'INSUFFISANCE CARDIAQUE ?

Le médecin vous a appris que vous souffrez
d'insuffisance cardiaque ?

L'insuffisance cardiaque, c'est...

Être moins résistant à l'effort

Ne plus être capable de monter les escaliers comme avant ou de faire les mêmes activités

Avoir de la difficulté à respirer durant les efforts

L'insuffisance cardiaque, c'est aussi : faire de l'eau sur les poumons ou avoir les jambes enflées

L'insuffisance cardiaque est, bien sûr, une maladie sérieuse, mais il est possible de contrôler ou de diminuer la fatigue, la difficulté à respirer et l'enflure des jambes.

Pour contrôler vos symptômes, il est important de comprendre la maladie

Ce livre, écrit par des professionnels de la santé, a pour objectif de vous aider à prendre en charge votre maladie.

Vous êtes la personne la plus importante pour le contrôle de votre maladie

On peut apprendre à vivre avec l'insuffisance cardiaque, améliorer sa qualité de vie et son espérance de vie.

L'INSUFFISANCE CARDIAQUE

Ce livre contient de l'information
sur les sujets suivants :

Qu'est-ce que l'insuffisance cardiaque ?

Quelles sont les causes de l'insuffisance cardiaque ?

Pourquoi ai-je de la difficulté à respirer ?

Pourquoi dois-je me peser tous les jours ?

Quel est le traitement de l'insuffisance cardiaque ?

Pourquoi tous ces médicaments ?

Pourquoi améliorer mon alimentation ?

Est-ce que je peux faire de l'activité physique ?

Est-ce normal que je sois parfois triste ou anxieux ?

Comment prévenir les chutes et les infections ?

Est-ce que je peux voyager ?

Qu'est-ce que l'insuffisance cardiaque ?

Le coeur est un muscle très spécial. Il agit comme une pompe à eau. Son rôle est de faire circuler le sang dans tout le corps.

Un coeur en santé pompe assez de sang pour répondre à nos besoins en oxygène et en éléments nutritifs.

Le coeur ne se vide jamais de tout son sang, comme une pompe à eau. À chaque fois que le coeur bat, il se vide de plus de la moitié du sang qu'il contient.

Dans le langage médical, on dit qu'un coeur normal a une **fraction d'éjection** à 55 % ou plus.

FEVG = 55 % signifie :
Fraction d'**É**jection du **V**entricule **G**auche à 55 %.

Dans le coeur, il y a aussi des valves qui contrôlent le passage du sang.

Parfois le coeur n'est pas capable de pomper assez de sang pour répondre aux besoins en oxygène et en éléments nutritifs, suite à un dommage important (virus, crise cardiaque ou autre cause). Sa fraction d'éjection peut être diminuée.

Parfois, le muscle cardiaque ne s'étire pas assez. Ou encore, les valves cardiaques coulent ou sont bloquées.

Comme le coeur n'est pas capable de pomper plus de liquide, il peut arriver que le liquide refoule dans les « tuyaux ».

Il y a alors trop de liquide en circulation dans votre corps.

C'est ce qui produit de l'eau sur les poumons et de l'enflure.

L'insuffisance cardiaque peut s'installer rapidement ou tout doucement.

Les causes de l'insuffisance cardiaque

Il peut y avoir plusieurs causes à l'insuffisance cardiaque.

Par exemple :

- crise cardiaque (infarctus) ;
- haute pression (hypertension) ;
- infection du coeur par un virus ;
- problèmes de valves ;
- abus chronique de drogues ou d'alcool ;
- séquelles de la chimiothérapie ou de la radiothérapie ;
- certains troubles du rythme cardiaque (arythmie).

Il y a aussi d'autres causes comme des malformations présentes à la naissance. Parfois les causes ne sont pas connues.

Tous ces problèmes fatiguent le coeur. Alors, il a plus de difficulté à pomper.

Les symptômes de l'insuffisance cardiaque

Le cœur n'est pas capable de pomper assez de sang pour répondre à nos besoins en oxygène et en éléments nutritifs. Les symptômes de l'insuffisance cardiaque viennent de la pompe, qui n'est plus efficace.

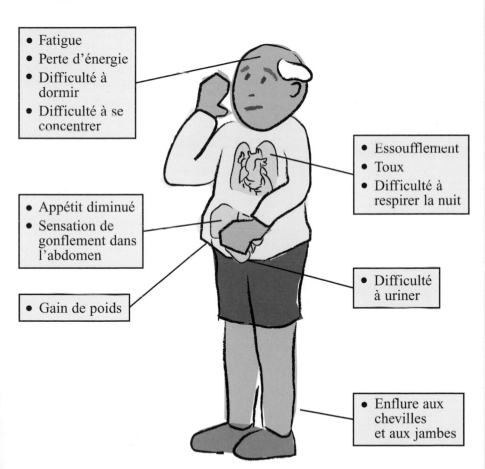

- Fatigue
- Perte d'énergie
- Difficulté à dormir
- Difficulté à se concentrer

- Essoufflement
- Toux
- Difficulté à respirer la nuit

- Appétit diminué
- Sensation de gonflement dans l'abdomen

- Difficulté à uriner

- Gain de poids

- Enflure aux chevilles et aux jambes

L'INSUFFISANCE CARDIAQUE

15

Le traitement de l'insuffisance cardiaque

Le but du traitement de l'insuffisance cardiaque est de ralentir la progression de la maladie et de contrôler les symptômes.

Il y a plusieurs façons de traiter l'insuffisance cardiaque. Le médecin choisira le traitement qui convient le mieux à votre condition.

Une bonne alimentation

- Il faut réduire la quantité de liquide et de sel.
- Un surplus de liquide et de sel peut produire de l'essoufflement et de l'enflure.
- De plus, une bonne alimentation vous aide à garder un poids santé et vous permet d'avoir plus d'énergie.

Des médicaments bien adaptés à votre condition

- Les médicaments vont aider à :
  - diminuer le surplus d'eau ;
  - améliorer le travail du coeur.

L'activité physique modérée

- L'activité physique régulière permet d'augmenter votre endurance et d'éviter un travail soudain à votre coeur.

Le repos et le contrôle de l'anxiété et du stress

- Permet au coeur de reprendre ses forces.

Des interventions plus spécialisées dans certains cas

Plus de détails à la section 4, page 83,
« Interventions spécialisées ».

- Dilatation des artères du cœur.
- Pontage coronarien.
- Chirurgie des valves.
- Pacemaker (stimulateur cardiaque).
- Resynchronisation.
- Défibrillateur.
- Greffe cardiaque.
- Cœur mécanique.

Dans les prochaines pages, vous trouverez des renseignements importants. Ils vous aideront à comprendre votre maladie et à contrôler vos symptômes.

Vous êtes la personne la plus importante pour le contrôle de votre insuffisance cardiaque.

L'INSUFFISANCE CARDIAQUE

L'INSUFFISANCE CARDIAQUE

Voici des actions qui vous aideront.

Vous peser tous les jours au lever, après avoir uriné...

... et écrire votre poids dans votre carnet ou sur votre calendrier.

Appeler votre médecin ou votre équipe de soins, si vous prenez 3 lbs (1,5 kg) ou plus en 3 à 5 jours.

Prendre votre médication tous les jours.

Contrôler la quantité de liquide que vous prenez.

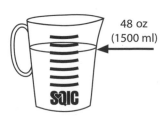

48 oz
(1500 ml)

18

Réduire le sel et bien vous alimenter.

Faire de l'activité physique selon vos capacités.

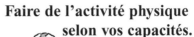

Prendre le temps de vous reposer et de vous détendre.

Cesser de fumer.

L'INSUFFISANCE CARDIAQUE

Le tabagisme

Lorsque vous fumez, vous demandez plus de travail à votre cœur.
Mais votre cœur a déjà de la difficulté à travailler !

ENNEMI N⁰ 1

MÉFAITS

Augmente la fréquence des battements du coeur
Augmente la pression artérielle
Augmente le risque de palpitations
Diminue la quantité d'oxygène qui arrive au coeur

Si vous désirez arrêter de fumer, il existe
plusieurs moyens pour vous aider. Parlez-en
à votre médecin, votre infirmière ou votre
pharmacien.

j'Arrête.

1 866 jarrête   www.jarrete.qc.ca

centres d'abandon
du tabagisme

SQIC

20

Les tests et examens

RADIOGRAPHIE DES POUMONS

Elle permet de voir s'il y a de l'eau
sur les poumons.

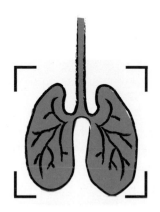

ÉLECTROCARDIOGRAMME (ECG)

C'est un examen pour évaluer
l'électricité du coeur.

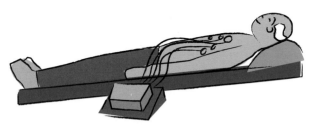

Parfois, l'électricité du cœur est
modifiée dans l'insuffisance cardiaque.

L'INSUFFISANCE CARDIAQUE

PRISES DE SANG

Ce sont des examens de routine qui servent à surveiller la maladie, ses complications et le traitement.

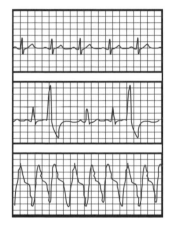

MONITEUR CARDIAQUE
(à l'hôpital)

Il permet de surveiller les battements du coeur 24 heures par jour.

TAPIS ROULANT
(ECG À L'EFFORT)

C'est un examen qui mesure votre condition physique et évalue si le coeur manque d'oxygène.

2 2

VENTRICULOGRAPHIE ET ÉCHOGRAPHIE CARDIAQUE

Ce sont des examens qui nous donnent des images de l'intérieur du cœur pendant qu'il bat.

Ce sont ces examens qui donnent la fraction d'éjection.

L'échographie permet aussi de voir le fonctionnement des valves et du muscle cardiaque.

CORONAROGRAPHIE

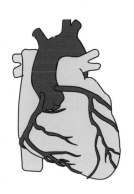

C'est un examen qui nous renseigne sur les blocages des vaisseaux sanguins du cœur.

On utilise un cathéter qui monte jusqu'au cœur pour voir les artères.

C'est avec le résultat que le médecin décide du meilleur traitement.

Le traitement peut être des médicaments, une dilatation ou une chirurgie.

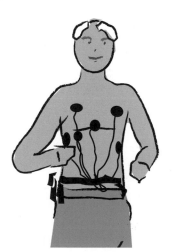

HOLTER

C'est un électrocardiogramme (ECG) qui s'enregistre pendant 24 heures.

L'examen se fait à la maison.

Il permet de voir les troubles du rythme cardiaque.

L'INSUFFISANCE CARDIAQUE

SECTION
2

L'INSUFFISANCE CARDIAQUE ET L'ALIMENTATION

L'INSUFFISANCE CARDIAQUE ET L'ALIMENTATION

L'alimentation est une partie importante de votre traitement. Une bonne alimentation vous permet d'avoir plus d'énergie et de mieux vous sentir, c'est une bonne façon de participer à votre traitement.

> **Le but de l'intervention nutritionnelle est d'assurer une alimentation équilibrée. Elle permet de réduire la charge de travail du coeur et de réduire le surplus de liquide qui accompagne l'insuffisance cardiaque.**

Rencontrer une nutritionniste (diététiste) pour adapter votre alimentation à vos besoins.

Impliquer votre conjoint et votre famille.

En présence d'insuffisance cardiaque, il faut :

- réduire sa consommation de sel (sodium) ;
- réduire sa consommation de liquide ;
- s'assurer d'un apport suffisant en protéines et en fer ;
- choisir des matières grasses de bonne qualité et réduire sa consommation de gras saturés et « gras trans » (mauvais gras) ;
- augmenter la consommation de fibres alimentaires pour prévenir la constipation ;
- se reposer avant les repas ;
- manger de plus petits repas et ajouter des collations ;
- maintenir un « poids-santé » et éviter de perdre du poids rapidement ;
- en présence d'obésité, et seulement sur l'avis de votre médecin ou de votre nutritionniste, perdre du poids et atteindre un « poids-santé » personnalisé.

L'ALIMENTATION

En présence d'insuffisance cardiaque, la quantité d'éléments nutritifs qui arrive aux différents tissus du corps diminue.

Il peut s'en suivre de la malnutrition : votre corps ne recevra pas tous les éléments dont il a besoin.

Vos besoins en énergie et en protéines doivent être comblés même s'il y a :

- diminution d'appétit ;
- changement du goût ;
- impression d'odeur désagréable des aliments ;
- épuisement physique simplement à s'alimenter.

Le sel (sodium)

Réduire sa consommation de sel est la principale mesure à suivre pour ne pas retenir trop de liquide.

Le sel consommé en trop grande quantité peut favoriser l'accumulation de liquide.

Limiter votre consommation de sodium entre 2 et 3 grammes (2000 à 3000 mg) par jour.

Éviter l'usage du sel à la cuisson.

Éviter de saler les aliments à table – ne plus utiliser la salière.

Certains aliments contiennent beaucoup de sel.

- Favoriser les légumes frais ou congelés.
- Consommer avec modération : fromage (selon leur teneur en sel -*voir pages 47 et 48*), beurre d'arachide salé, moutarde, ketchup, relish et mayonnaise.

L'ALIMENTATION

- Éviter de consommer les produits suivants :

  - potages, bouillons commerciaux, soupes, sauces en cubes, poudre ou concentrés liquides, en conserves ou enveloppes * ;

  - sauces chili, Worcestershire MD, HP MD, soya, teriyaki, tamari, VII MD * ;

  - sel de mer, sel de céleri, sel d'oignon, sel d'ail, glutamate monosodique (Accent MD), épices à steak, épices à BBQ , Herbamare MD * ;

  - olives, cornichons, marinades salécs, choucroute, algues * ;

  - aliments saupoudrés de sel tels que croustilles, bretzels, craquelins, noix et arachides (choisir des noix non salées) * ;

  - charcuteries (jambon, salami, bologne et autres), saucisses, bacon, cretons, pâtés, viandes fumées, salées et en conserve * ;

  - poissons fumés et salés tels que morue séchée et salée, anchois, hareng salé, sardines * ;

  - mets de restauration rapide (fast food) * ;

  - eaux embouteillées contenant plus de 25 mg / litre de « Na » ou « sodium »* ;

  - eaux gazéifiées (eaux minérales, soda) à plus de 200 mg de sodium par litre ou parties par million (ppm) ;

  - les repas congelés contenant plus de 500 mg de sodium par portion *.

  La lecture des étiquettes vous aidera à faire de meilleurs choix.

L'ALIMENTATION

Que faire pour améliorer le goût des aliments sans ajouter de sel ?

- Utiliser :

  - les fines herbes et la plupart des épices fraîches ou séchées :

    1 c. à thé (5 ml) de fines herbes séchées en feuille = 1 c. à table (15ml) d'herbes fraîches ;

    1 c. à thé (5ml) de poudre d'oignon = 1 oignon moyen ;

    1 c. à table (15 ml) d'oignon haché déshydraté = 1 petit oignon.

  - l'ail :

    1/8 c. à thé (0.5 ml) de poudre d'ail = 1 gousse d'ail moyenne ;

  - le jus de citron ;

  - un moulin à poivre *(les grains de poivre que l'on met en poudre donnent une meilleure saveur. Il existe plusieurs variétés : noir, blanc, vert et rose. À essayer !)* ;

  - des bases de bouillon sans sel ou du bouillon de bœuf ou de poulet maison ;

  - un assaisonnement sans sel, tel que Mrs Dash [MD], Club House [MD], McCormick [MD] (sans ajout de sel).

- Sauter vos légumes et viandes en utilisant du jus de citron, des vinaigres aromatisés (balsamique, à l'estragon, etc.), du bouillon de poulet maison sans sel, du jus de tomate réduit en sel.

Suggestions d'assaisonnement sans sel

- Mélanges d'épices à faire soi-même :

  Mélanger à part égale les ingrédients proposés et les mettre dans une bouteille d'épices vide.

 Voici votre « salière » santé !

Mélange classique : moutarde sèche, paprika, poudre de céleri, poudre d'oignon.

Mélange oriental : cari, gingembre, poudre d'ail.

Mélange provençal : basilic, origan, persil, thym.

- Avec quoi assaisonner ?

Légumes : ail, basilic, chili, laurier, marjolaine, origan, piment broyé, sarriette, ciboulette, jus de citron, poivre de Cayenne.

Viandes : ail, carvi, cari, cerfeuil, clou de girofle, laurier, marjolaine, moutarde sèche, paprika, romarin, sauge, thym, poudre d'ail, poudre d'oignon.

Volailles : ail, citron, cari, estragon, gingembre, paprika, origan, moutarde sèche, sauge.

Poissons : jus de citron, aneth, cari, cerfeuil, persil, thym, sarriette.

Attention aux substituts de sel contenant du potassium :
Exemple : No Salt [MD]
Si vous en consommez, aviser votre médecin,
votre nutritionniste ou votre pharmacien.

L'ALIMENTATION

Recettes pauvres en sodium

Bouillon de poulet maison

- 2 livres (1 kg) de poulet entier, ou en morceaux
- 6 tasses (1 1/2 litre) d'eau froide
- 1 carotte hachée, 1 oignon haché, 1 branche de céleri hachée
- 1 feuille de laurier
- poivre noir au goût
- une pincée de thym, de basilic et de marjolaine séchés

Mettre le poulet et l'eau dans une marmite. Amener à ébullition.
Ajouter le reste des ingrédients et les assaisonnements.
Laisser mijoter à découvert pendant 2 heures.
Retirer la marmite du feu. Passer au tamis. Couvrir et réfrigérer le bouillon jusqu'à ce que le gras se fige à la surface. Enlever le gras.

Vinaigrette à l'ail et fines herbes

Mélanger :
- 1/2 tasse (125 ml) d'huile d'olive ou de canola ;
- 1/4 tasse (60 ml) de vinaigre aromatisé (framboise, vin rouge ou balsamique, etc.) ;
- 1/4 tasse (60 ml) d'eau ;
- 1 c. à thé (5 ml) de moutarde en poudre ;
- 1 1/2 c. à thé (7 ml) d'herbes de Provence ou basilic.
Bien mélanger. Donne 1 tasse.

Sauce barbecue

Dans une petite casserole, mélanger :
- 1 boîte (5 1/2 onces - 156 ml) de pâte de tomates sans sel ;
- 3/4 tasse (175 ml) d'eau ;
- 2 c. à thé (10 ml) de vinaigre de cidre, de cassonade et de piment de la Jamaïque moulu.

Chauffer de 3 à 5 minutes à feu moyen. Donne 3/4 tasse (175 ml).

L'ALIMENTATION

Comment lire les étiquettes nutritionnelles ?

L'étiquette d'un produit commercial donne de l'information sur sa composition et vous aide à faire de meilleurs choix.

Ce chapitre vous indique quoi rechercher si vous consultez :
- la liste des ingrédients ;
- lc tableau de la valeur nutritive ;
- les messages imprimés sur les emballages.

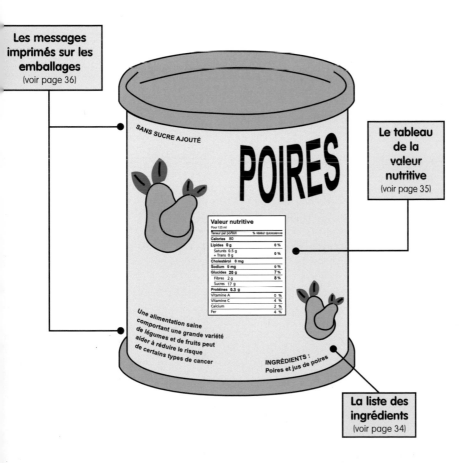

Les messages imprimés sur les emballages
(voir page 36)

Le tableau de la valeur nutritive
(voir page 35)

SANS SUCRE AJOUTÉ

POIRES

Valeur nutritive
Pour 125 ml

Teneur par portion	% valeur quotidienne
Calories 80	
Lipides 0 g	0 %
Saturés 0.5 g + Trans 0 g	0 %
Cholestérol 0 mg	
Sodium 0 mg	0 %
Glucides 20 g	7 %
Fibres 2 g	8 %
Sucres 17 g	
Protéines 0.3 g	
Vitamine A	0 %
Vitamine C	4 %
Calcium	2 %
Fer	4 %

Une alimentation saine comportant une grande variété de légumes et de fruits peut aider à réduire le risque de certains types de cancer

INGRÉDIENTS :
Poires et jus de poires

La liste des ingrédients
(voir page 34)

33

L'ALIMENTATION

La liste des ingrédients

Les mots suivants signifient sel :

- sodium ;
- sulfite ou bisulfite de sodium ;
- benzoate de sodium ;
- bicarbonate de sodium, de soude ou soda à pâte ;
- glutamate monosodique ou monoglutamate de sodium (GMS) ;
- phosphate monosodique/sodique ;
- sel de mer ;
- sel naturel ;
- sel d'ail, sel d'oignon ;
- sel végétal.

Attention

Les ingrédients utilisés dans la fabrication du produit sont nommés par ordre d'importance.

Si vous retrouvez le mot sel au début de la liste des ingrédients, l'aliment est très salé.

Voici, par exemple, l'ordre de présentation des ingrédients sur une étiquette de sauce soya :

> *eau ;*
> ***sel** ;*
> *caramel ;*
> *protéines de soya hydrolysées ;*
> *sirop de maïs ;*
> *glucose-fructose ;*
> *benzoate de sodium.*

3 4

L'ALIMENTATION

Le tableau de la valeur nutritive

Rechercher le contenu en sodium (Na) qui est indiqué en milligrammes (mg) et en pourcentage de la valeur nutritive quotidienne recommandée (% VQ).

TABLEAU DE LA VALEUR NUTRITIVE DE
BISCUITS SODA NON SAUPOUDRÉS DE SEL

La valeur nutritive

est donnée pour la portion déterminée sur l'étiquette. Attention : si vos portions sont plus grosses, votre consommation de sel sera aussi plus grande.

Valeur nutritive
Pour 7 biscuits (20 g)

Teneur par portion	% valeur quotidienne
Calories 90	
Lipides 2 g	3 %
Saturés 0.5 g + Trans 0 g	3 %
Cholestérol 0 mg	0 %
Sodium 150 mg	6 %
Glucides 15 g	5 %
Fibres 1 g	4 %
Sucres 0 g	
Protéines 2 g	
Vitamine A	0 %
Vitamine C	0 %
Calcium	0 %
Fer	6 %

Le contenu en sodium

est indiqué en mg.

Le pourcentage de la valeur quotidienne (%VQ)

Plus ce chiffre est élevé, plus le produit est riche en sel.

Pour vous aider à faire de bons choix.

TENEUR EN SODIUM D'UN ALIMENT	RECOMMANDATIONS
Moins de 140 mg de sodium	Bon choix d'aliments à faible teneur en sodium
Entre 140 et 250 mg	Limiter à 3 portions ou moins par jour
Entre 250 et 500 mg	Éviter ou limiter à 1 portion par jour
500 mg et plus	Aliments riches en sodium (à éviter)

Les messages imprimés sur les emballages

Certaines étiquettes ont un message sur la quantité de sel du produit.

MESSAGE	CONTENU EN SODIUM
Sans sel Sans sodium	Contient moins de 5 mg de sodium par portion
Non additionné de sel Sans sel ajouté Non salé	Aucun sel n'a été ajouté et aucun des ingrédients du produit n'est riche en sel
Teneur réduite en sel Moins de sel	Diminution d'au moins 25 % de la teneur en sel par rapport au produit original
Faible teneur en sel Hyposodique	Contient moins de 140 mg de sodium par portion (ou 5 % VQ)

L'ALIMENTATION

Les liquides

En insuffisance cardiaque, il est important de contrôler la quantité de liquide que vous buvez.

Le liquide consommé en trop grande quantité peut s'accumuler dans les vaisseaux sanguins, dans les jambes et dans les poumons.

Réduire sa consommation de liquide à 48 oz. (1500 ml) par jour ou suivre la restriction de liquide prescrite par votre médecin ou votre nutritionniste.

La quantité de liquide qui vous est recommandée par jour est de :

48 onces (1500 ml)
ou
6 verres de 8 onces (250 ml)
ou

_____

Inscrire ici la
quantité recommandée

Prendre la quantité de liquide recommandée pour éviter la déshydratation.

Afin de vous aider à calculer votre quantité de liquide, choisir un contenant pour chaque breuvage, mesurer sa capacité et toujours utiliser le même contenant.

L'ALIMENTATION

Comment mesurer les liquides ?

Au début, cela demande un petit effort : mesurer et noter le contenu de votre vaisselle.

CONTENANT UTILISÉ	CONTENU	
	En onces (oz)	En millilitres (ml)
Verre à jus		
Verre à eau		
Tasse à thé ou à café		
Bol à soupe		
Plat à dessert		

Compter les liquides suivants :

- le café, le thé, les tisanes ;
- les jus ;
- le lait, la crème ;
- la soupe, les bouillons ;
- les boissons gazeuses ;
- les desserts (qui sont liquides à la température de la pièce), le lait glacé, la crème glacée, le yogourt glacé, le sorbet ;
- les glaçons, le Jell-O [MD], Popsicles [MD] ;
- les laits frappés (milk shake) ;
- les suppléments nutritifs tels que Ensure [MD], Boost [MD] ou autres ;
- l'eau (incluant celle que vous buvez pour prendre vos médicaments), l'eau de source, l'eau minérale sans sel ;
- l'alcool.

Comment calculer les liquides consommés tous les jours ?

2 méthodes sont suggérées.

(1) Garder une feuille de papier et inscrire au fur et à mesure la quantité de liquides que vous consommez dans la journée.

(2) La méthode du pichet.

ÉTAPE 1

Prendre un pichet vide qui peut contenir la quantité totale de liquide permise par jour.

Marquer le pichet selon la quantité de liquide qui vous est permise.

1500 ml

ÉTAPE 2

Chaque fois que vous consommez un liquide, verser dans le pichet la même quantité de liquide.

ÉTAPE 3

Quand le pichet est plein, vous avez épuisé la quantité de liquide permise pour la journée.

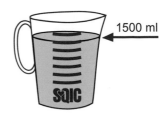

1500 ml

L'ALIMENTATION

CONSOMMATION LIQUIDIENNE

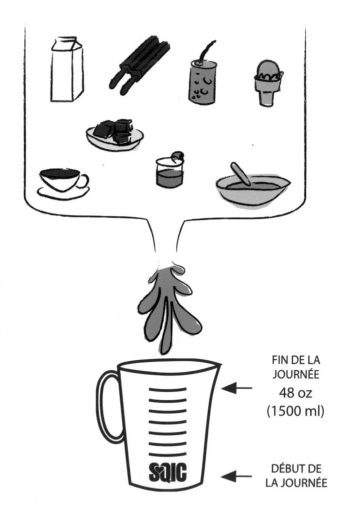

FIN DE LA
JOURNÉE
48 oz
(1500 ml)

DÉBUT DE
LA JOURNÉE

Trucs pour contrôler votre ration de liquide et votre soif

- Vérifier le volume de vos verres, tasses et bols à soupe.

- Utiliser des contenants plus petits.

- Égoutter les aliments en conserve.

- Rincer votre bouche avec de l'eau froide ou du rince-bouche.

- Vous brosser souvent les dents.

- Sucer des glaçons, c'est rafraîchissant ! (Ne pas oublier de les inclure dans vos liquides).

- Ajouter du jus de citron à vos glaçons, c'est plus désaltérant.

- Faire des petits glaçons avec des jus de fruits.

- Manger des fruits congelés (tranches de citron, raisins, fraises, quartiers d'orange).

- Mâcher de la gomme ou sucer des bonbons acidulés (sans sucre si vous êtes diabétique).

- Prendre vos médicaments avec des aliments mous (par exemple : compote de pomme) plutôt qu'avec de l'eau.

- Bien contrôler votre taux de sucre (glycémie) si vous êtes diabétique. Plus il sera élevé, plus vous aurez soif !

- Utiliser de la salive artificielle (disponible en pharmacie).

- Éviter de surchauffer votre demeure et maintenir un taux d'humidité acceptable.

- Éviter l'excès de sel et les aliments trop salés.

Si la soif persiste, appeler votre équipe de soins.

41

ÉQUIVALENCES À CONNAÎTRE

ITEM	ÉQUIVALENCE	
	En onces (oz)	En millilitres (ml)
2 c. à table	1	30
1/4 de tasse	2	60
1/2 tasse	4	125
1 tasse	8	250
4 tasses	32	1,000 (1 litre)

Quelques exemples :

ITEM	MESURE	
	En onces (oz)	En millilitres (ml)
1 cube de glace	1/2 à 1	15 à 30
1/2 Popsicle MD	2	60
1/2 tasse de crème glacée, yogourt glacé ou sorbet	3	90
1/2 tasse de Jell-O MD	4	125
1 cannette de bière ou de boisson gazeuse	11	350

L'alcool

L'alcool ne doit être consommé qu'à l'occasion. Limiter votre consommation d'alcool à un à 2 verres par jour au maximum.

1 verre = 5 onces (150 ml) de vin **ou** 11 onces (350 ml) de bière **ou** 1 1/2 once (45 ml) d'alcool (gin, rhum, etc.)

Dans certaines situations, votre médecin ou nutritionniste vous recommanderont d'éviter la consommation de toute forme d'alcool.

L'ALIMENTATION

La caféine

La caféine peut stimuler le cœur et n'a aucune valeur nutritive.

On retrouve principalement la caféine dans le café, le thé et les boissons gazeuses de type « Cola », le « Mountain Dew MD » et les boissons énergisantes de type « Red Bull MD ».

Si vous en buvez, limiter votre consommation à 2 portions de 6 onces (180 ml) par jour.

Attention

Le café, le thé et les boissons gazeuses sont des liquides et doivent être calculés dans votre limite de liquides.

Si vous avez peu d'appétit, il est préférable de prendre des breuvages plus nutritifs que l'alcool, le café ou les boissons gazeuses. La nutritionniste vous conseillera.

Le potassium

Certains médicaments utilisés pour éliminer l'eau font perdre du potassium dans l'urine. D'autres, qui améliorent la force du cœur, retiennent le potassium dans le sang.

Vous informer auprès de votre pharmacien ou de votre médecin.

Si votre alimentation ne suffit pas à combler vos besoins en potassium, votre médecin vous prescrira des suppléments de potassium.

Ne pas utiliser de substituts de sel et ne pas suivre de diète riche en potassium sans l'avis de votre médecin ou de votre nutritionniste.

Il y a du potassium de façon naturelle dans le lait, la viande, les légumes, les fruits, les noix et les céréales à grains entiers. Certains aliments sont plus riches en potassium.

Si vous prenez des médicaments qui font perdre du potassium dans l'urine, 4 à 5 portions d'aliments riches en potassium peuvent être suffisantes pour combler vos besoins.

ALIMENTS RICHES EN POTASSIUM

Produits laitiers

ITEM	UNE PORTION =
Lait	1 tasse (250 ml)
Yogourt	1/2 tasse (125 ml)

Légumes

ITEM	UNE PORTION =
Betteraves	1/2 tasse (125 ml)
Brocoli	1/2 tasse (125 ml)
Choux de Bruxelles	4
Jus de légumes faible en sodium	1/2 tasse (125 ml)
Épinards	1/2 tasse (125 ml)
Pomme de terre bouillie	1 petite
Pomme de terre en purée	1/2 tasse (125 ml)
Rutabaga	1/2 tasse (125 ml)
Tomate fraîche	1 petite
Tomate en conserve sans sel	1/2 tasse (125 ml)
Soupe aux légumes avec tomates (sans sel)	1/2 tasse (125 ml)

Fruits

ITEM	UNE PORTION =
Banane	1/2
Cantaloup	1/6
Figues fraîches ou séchées	2
Kiwi	1
Nectarine	1 petite
Melon d'eau	1 tasse (250 g)
Melon de miel	1 tasse (250 g)
Orange fraîche	1 ou 1/2 tasse de son jus (125 ml)
Raisins secs	2 c. à table (30 ml)
Pruneaux	3 ou 1/3 tasse de leur jus (80 ml)

Céréales, noix et graines

ITEM	UNE PORTION =
All Bran MD, All Bran Buds MD	1/2 tasse (125 ml)
Beurre d'arachide sans sel	2 c. à table (30 ml)
Amandes sans sel	20

Les recommandations alimentaires

Alimentation équilibrée

Une bonne alimentation comporte des aliments de chacun des quatre groupes du « Guide alimentaire canadien » en quantité suffisante, soit :

- viandes, volailles, poissons, oeufs, légumineuses et autres sources de protéines ;
- pains, céréales et féculents, de préférence à grains entiers ;

45

L'ALIMENTATION

- fruits et légumes ;
- lait et produits laitiers.

Pour réduire le travail du coeur, il est mieux de prendre plusieurs petits repas et collations.

Les produits laitiers

Consommation recommandée :

2 à 4 portions par jour

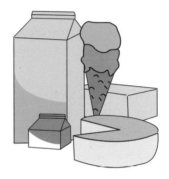

- Bonne source de vitamines A et D ; excellente source de calcium et protéines.
- Le secret, c'est de les choisir écrémés ou partiellement écrémés.

> Étiquettes :
>
> Rechercher le pourcentage **M.G. ___ %** de matières grasses.

- Le fromage peut contenir beaucoup de sel. Portez attention aux étiquettes.

PRODUITS LAITIERS À FAVORISER	UNE PORTION =
Lait écrémé	
Lait partiellement écrémé, à 1 % ou 2 % M.G.	
Lait écrémé en poudre	1 tasse (250 ml)
Lait évaporé à 2 % M.G.	
Babeurre	
Yogourt à moins de 2 % M.G.	1/2 tasse (125 ml)
Crème sûre à moins de 2 % M.G	
Fromage à moins de 20 % M.G. et à moins de 400 mg de sodium par portion (Une portion maximum par jour)	1 1/2 oz (45 g)
Boisson à base de lait partiellement écrémé à 2 % M.G. Ex. : Yop MD, Chokéo MD	1 tasse (250 ml)
Lait glacé ou yogourt glacé	1/2 tasse (125 ml)

Par contre, il se peut que l'on vous conseille de prendre des produits laitiers plus élevés en matières grasses si vous avez moins d'appétit et devez prendre du poids. Par exemple : lait 3.25 %, yogourt à plus de 2 %, crème et crème glacée.

 *Favoriser*

Fromages contenant **moins de 200 mg** de sodium par portion de 1 1/2 once (45 g) :

- ricotta ;   - fromage suisse ;
- mozzarella ;   - cottage à grains sec ;
- fromage à la crème ;   - gruyère ;
- bocconcini.

L'ALIMENTATION

47

Fromages contenant de **200 à 400** mg de sodium par portion de 1 1/2 once (45 g) :

- monterey Jack ;   - colby ;
- brick ;   - brie ;
- cheddar ;   - munster ;
- tilsit ;   - gouda ;
- camembert ;   - fontina ;
- provolone ;
- mozzarella partiellement écrémé ;
- parmesan râpé {2 c. à table (30 ml) ou 15 g} ;
- romano râpé {2 c. à table (30 ml) ou 15 g}.

Fromages contenant de **400 à 600 mg** de sodium par portion de 1 1/2 once (45 g) :

- romano ;
- fromage cottage 1 % à 4.5 % M.G. par portion de 1/2 tasse (125 ml) ;
- féta ;
- préparation de fromage fondu tartinable.

Fromages contenant **plus de 600 mg** de sodium par portion de 1 1/2 once (45g) :

- fromage bleu ;
- préparation de fromage fondu suisse ;
- préparation de fromage fondu cheddar en tranches.

Les viandes et substituts

Consommation recommandée :

6 à 8 onces (180 à 240 grammes) par jour, répartis en plusieurs repas

- Bonne source de protéines, de fer et de vitamines du complexe B.
- Choisir des coupes de viande maigre.
- Dégraisser avant et après la cuisson.
- Utiliser des méthodes de cuisson sans gras.
- Réduire ses portions, si nécessaire.

Cuisson

Griller, braiser ou les faire cuire au four, à la vapeur, au micro-ondes ou à la poêle (sans ajout de gras). Éviter la friture.

Substituts

Ces aliments sont une bonne source de protéines et ne contiennent pas de cholestérol et peu de gras saturé.

SUBSTITUTS	UNE PORTION =
Légumineuses (lentilles, pois chiches, haricots rouges, etc.)	1 tasse (250 ml)
Tofu	1 tasse (250 ml)
Beurre d'arachide sans sel	2 c. à table (30 ml)

L'ALIMENTATION

VIANDES ET SUBSTITUTS À FAVORISER	UNE PORTION =
Poulet et dinde sans peau	
Cheval, lapin, gibier	3 à 4 oz (90 à 120 g) après cuisson
Agneau, porc, boeuf, veau	
Poissons (idéalement 2 à 3 repas par semaine)	
Crustacés et mollusques (homard, moules)	
Oeufs (maximum 3 par semaine)	
Fromage à moins de 20 % M.G.	

VIANDES ET SUBSTITUTS À ÉVITER

- Gras de viande, peau de la volaille
- Abats : foie, cervelle, rognon
- Viande et poisson avec panure ou frits
- Saucisses, saucisses fumées, côtes levées
- Bacon
- Charcuteries (pâtés, saucissons, viandes pressées)
- Cretons
- Canard
- Oie
- Huîtres
- Repas pré-emballés

50

Fruits et légumes

Consommation recommandée :

3 à 5 portions de fruits ET 4 à 6 portions de légumes par jour

Pourquoi manger des fruits et des légumes ?

- Source importante de vitamines, de minéraux et d'antioxydants.
- Riches en fibres alimentaires.

Modes de cuisson recommandés :

Vapeur, micro-ondes ou dans un minimum d'eau.

FRUITS ET LÉGUMES À FAVORISER	UNE PORTION =
Légumes frais ou congelés	Une portion de fruit, de légumes ou leur jus est environ : 1/2 tasse (125 ml)
Jus de fruits sans sucre ajouté	
Fruits frais, congelés, en conserve (bien égouttés)	
Jus de légumes faible en sel	

FRUITS ET LÉGUMES À ÉVITER	
- Pommes de terre frites	- Feuilletés de légumes
- Légumes en conserve	- Jus de tomates
- Légumes frits	- Jus de légumes
- Légumes servis avec du beurre, de la crème ou de la sauce grasse	- Jus de tomates et palourdes (Ex. : Clamato ᴹᴰ)

L'ALIMENTATION

51

L'ALIMENTATION

Pains et céréales

 Consommation recommandée :

5 à 9 portions par jour

Consommer du pain et des céréales à grains entiers tous les jours.

- Sources importantes de vitamines, d'énergie et de fibres alimentaires.
- Favorisent le bon fonctionnement de vos intestins.

PAINS ET CÉRÉALES À FAVORISER	UNE PORTION =
Pain à grains entiers (blé, avoine, seigle, orge, raisins, etc.)	**Exemple d'une portion :** une tranche de pain 1/2 bagel 1/2 pita 1/2 tasse de pommes de terre ou riz ou pâtes ou céréales.
Pain pita, muffin anglais, bagel	
Muffin préparé maison	
Pâtes alimentaires de blé entier, nature, aux tomates, aux épinards	
Riz brun ou blanc	
Orge, semoule de blé (couscous)	
Craquelins, biscuits soda non saupoudrés de sel, melba, biscottes	
Céréales à déjeuner	
Maïs soufflé sans gras, sans sel	
Crêpes, gaufres, pain doré préparé avec les ingrédients permis	

Toujours mesurer l'aliment cuit.

Choisir deux à trois portions par repas ou diviser vos portions de façon égale à travers la journée (par exemple : six petits repas).

52

PAINS ET CÉRÉALES À ÉVITER

- Pain aux oeufs, pain au fromage
- Craquelins au fromage
- Nouilles aux oeufs, nouilles frites
- Riz frit
- Crêpes et gaufres (mélanges commerciaux)
- Beignes, biscuits au chocolat, tartes, gâteaux, feuilletés, etc.
- Pâte à tarte feuilletée
- Croissants, danoises

Étiquettes

Lire attentivement les étiquettes sur les emballages des produits de boulangerie commerciaux.

Éviter les produits contenant :

     - du shortening ;
     - de la graisse végétale ;
     - de l'huile de coco (copra) ;
     - de l'huile hydrogénée, de palme, de palmiste ou tropicale ;
     - des oeufs ;
     - du saindoux ;
     - du suif ;
     - du beurre ;
     - de la crème ;
     - du beurre de cacao.

L'ALIMENTATION

Les matières grasses

Consommation recommandée :

3 à 5 portions par jour

Est-il vrai que je dois éliminer toutes les matières grasses ? NON ! Toutefois, il est important de :

- réduire la quantité totale de gras ;
- faire un bon choix en favorisant les gras monoinsaturés et polyinsaturés ;
- éviter les fritures ;
- éviter les gras saturés et les « gras-trans » (mauvais gras) dans les produits commerciaux ;
- bien lire les étiquettes.

MATIÈRES GRASSES À FAVORISER SOURCES DE GRAS MONO ET POLYINSATURÉS	UNE PORTION =
Margarine molle non hydrogénée *	
Huile d'olive *	
Huile de canola *	1 c. à thé (5 ml)
Huile de carthame, tournesol, maïs, soya	
Mayonnaise	

suite du tableau à la page 55

L'ALIMENTATION

suite du tableau de la page 54

MATIÈRES GRASSES À FAVORISER SOURCES DE GRAS MONO ET POLYINSATURÉS	UNE PORTION =
Margarine non hydrogénée à faible teneur en calories *	1 c. à table (15 ml)
Beurre d'arachide sans sel	
Mayonnaise légère	
Sauce à salade	
Vinaigrette commerciale ou faite avec les matières grasses suggérées et à faible teneur en sodium	
Vinaigrette réduite en calories ou légère ou faite avec les matières grasses suggérées et à faible teneur en sodium	2 c. à table (30 ml)
Sauce à salade légère	
Avocat	1/6
Arachides non salées	10
Amandes non salées *	6
Noix de Grenoble *	3

** Meilleurs choix*

MATIÈRES GRASSES À ÉVITER SOURCES DE GRAS SATURÉS

- Margarine molle hydrogénée
- Margarine dure
- Huile de coco (copra), de palme ou de palmiste, tropicale ou exotique
- Beurre, saindoux, suif, lard, graisse de rôti
- Shortening
- Huile végétale hydrogénée
- Succédané de crème
- Colorant à café

L'ALIMENTATION

Un menu

Déjeuner :

- 1/2 banane ;
- 1 tasse (250 ml) de céréales « flocons de blé » ;
- 3/4 tasse (175 ml) de lait 2 % ;
- 3/4 tasse (175 ml) de café.

Dîner :

- 3/4 tasse (175 ml) de soupe aux légumes faite maison ;
- 1 sandwich au thon : pain de blé entier, 60 g. (2 onces) de thon en conserve **hyposodique** *(à faible teneur en sel)* ;
- laitue avec 2 c. à thé (10 ml) de mayonnaise ;
- 1 yogourt aux fruits 1 % M.G. (100 g) ;
- 3/4 tasse (175 ml) de thé nature.

Collation :

- 2 c. à table (30 ml) de noix nature (sans sel) ;
- 1 pomme.

Souper :

- 1/2 tasse (125 ml) de jus de légumes réduit en sodium ;
- 1 poitrine de poulet rôti assaisonnée avec fines herbes, sans peau ;
- 1/2 tasse (125 ml) de carottes congelées ;
- 1/2 tasse (125 ml) de pomme de terre purée (avec lait) ;
- 1/2 tasse (125 ml) de salade de fruits en conserve sans jus ;
- 2 biscuits de farine d'avoine ;
- 3/4 tasse (175 ml) de thé.

L'ALIMENTATION

Collation :

- 4 melba de blé entier ;
- 1 1/2 once (45 g) de fromage à 15 % M.G. ;
- 3/4 tasse (175 ml) de lait 2 %.

Total de sodium (Na) provenant du menu : 2 g.

Total des liquides provenant du menu : 35 oz (1100 ml)
Eau pour prise de la médication : 13 oz (400 ml)
TOTAL liquides : **48 oz (1500 ml)**

Conseils pour le manque d'appétit

Prendre plusieurs petits repas par jour.

Fixer l'heure de vos repas et de vos collations.

Choisir des collations riches en protéines :

- yogourt ;
- desserts au lait (pouding) ;
- noix sans sel ;
- fromage à faible teneur en sel ;
- laits frappés (milk-shakes).

Lait frappé maison (milk-shake)

Mélanger :

- 3/4 de tasse (175 ml) de lait ;
- 1/4 de tasse (60 ml) de yogourt ;
- un fruit en conserve.

Ajouter 1/4 de tasse (60 ml) de poudre de lait pour augmenter la quantité de protéines. On peut aussi ajouter de la vanille, de la cannelle ou de la poudre de cacao, pour ajouter de la saveur.

L'ALIMENTATION

On peut utiliser un supplément alimentaire commercial liquide, en barre ou en pouding tel que :
- Ensure ^{MD} ;
- Resource ^{MD} ;
- Déjeuner en tout temps de Carnation ^{MD} ;
- Glucerna ^{MD} ;
- Boost ^{MD}.

Il est préférable de les utiliser pour compléter un repas, comme collation du soir ou pour prendre ses médicaments.

Compter les laits frappés et les suppléments alimentaires liquides dans votre quantité de liquide permise.

Éviter les liquides peu nutritifs tels que les bouillons, le café, le thé et les boissons gazeuses.

Avoir des repas congelés prêts à l'avance. Si possible, demander de l'aide pour cuisiner des repas santé et les congeler.

Faire appel aux organismes tels que la popote roulante, des services de traiteurs spécialisés et autres services comme l'aide aux achats et l'aide à la préparation des repas selon vos besoins et leurs disponibilités. Vous informer auprès de votre CLSC des services disponibles.

Une multivitamine peut-être recommandée si vous ne rencontrez pas tous vos besoins en vitamines et minéraux. Vous informer auprès de votre nutritionniste, pharmacien ou médecin.

Au restaurant

Puis-je manger au restaurant ?

Est-il possible de manger au restaurant tout en respectant une diète réduite en liquide et en sel ? Bien sûr !

Cependant, voici quelques conseils afin de vous faciliter la tâche :

- planifier : choisir un restaurant où la nourriture est cuite sur demande plutôt qu'une restauration rapide ou un repas style buffet ;

- limiter les repas au restaurant à une fois par semaine et maintenir un bon contrôle de votre poids ;

- la salière : un ennemi pour vous ! Éviter de saler vos aliments à table. Utiliser plutôt le poivre pour relever le goût naturel des aliments ;

- votre serveur : une aide précieuse. Poser des questions à votre serveur afin d'en savoir plus sur la façon dont les mets sont préparés. Être précis concernant les plats que vous commandez et comment vous voulez qu'ils soient préparés. Par exemple, demander que vos aliments soient préparés sans ajout de sel, mais plutôt avec des fines herbes, des épices, de l'ail, du jus de citron, etc. ;

- plusieurs restaurants respecteront les demandes pour les versions faibles en sel et en gras de certains mets ;

- rechercher les aliments qui sont grillés, pochés, cuits au BBQ, rôtis, vapeur, sautés et sans sel. Enlever la peau des volailles et éviter les coupes de viandes grasses ;

- éviter les aliments qui sont frits, gratinés, arrosés, beurrés, en casserole, en sauce, en ragoût ou enrobés de chapelure ;

L'ALIMENTATION

- demander que les sauces, les assaisonnements, les vinaigrettes et les jus de viande soient servis à part, de façon à ce que vous puissiez contrôler combien vous en ajoutez ;

- choisir des accompagnements sains (par exemple, une patate au four ou riz nature, légumes vapeur, salades au lieu de frites ou rondelles d'oignons) ;

- breuvage : Éviter les breuvages ayant un contenu plus élevé en sel tels que les jus de tomates ou de légumes.

Entrée ou hors-d'œuvre

 Choisir :

- les légumes crus ;

- la salade : demander que la vinaigrette soit servie à part (contient habituellement beaucoup de sel).

 Éviter :

- les bouillons, consommés ou soupes qui peuvent être très salés, les craquelins ou biscuits soda saupoudrés de sel et le pain à l'ail ;

- olives vertes ou noires, cornichons ou marinades salées ;

- les charcuteries.

Plat principal

 Choisir :

- le bar à salade ;
- les sandwichs végétariens ;
- les mets sans sauce ;
- les viandes et poissons grillés.

 Éviter :

- les sandwichs aux viandes froides ;

- les poissons fumés ou salés ;

- les mets préparés ou accompagnés de sauces ayant une teneur élevée en sel. Demander la sauce à part, vous pourrez ainsi contrôler la quantité que vous mangez ;

- les plats préparés avec des préparations de fromage fondu, féta, parmesan ou bleu ;

- la choucroute ;

- les mets chinois et les viandes fumées (smoked meat).

Les desserts

- Les meilleurs choix de desserts sont : les yogourts et les fruits.

- Compter les desserts qui fondent à la température de la pièce dans la quantité de liquide que vous consommez : le Jello [MD], la crème glacée, le yogourt glacé, le lait glacé et le sorbet.

L'ALIMENTATION

Au déjeuner

 Favoriser :

- les pains grillés ;
- les céréales ;
- le gruau ;
- les fruits ;
- le fromage cottage ;
- le yogourt ;
- les muffins légers ;
- les oeufs pochés ou à la coque ;
- le lait ;
- les muffins anglais et les bagels.

 Éviter :

- bacon ;
- saucisses ;
- cretons ;
- pâtés ;
- préparations de fromage fondu.

Restaurant de type « fast-food »

À éviter le plus possible !

Manger dans un restaurant de type fast-food peut être très difficile étant donné que la plupart des items contiennent une grande quantité de sel.

Choisir :

- un hamburger ou sandwich au poulet grillé sans condiment ;
- les frites sans ajout de sel ;
- les pizzas préparées avec moins de sauce et plus de garnitures de légumes.

 Éviter :

- les frites saupoudrées de sel, les « frites-sauce » ou les poutines ;
- les pizzas préparées avec beaucoup de viandes salées (pepperoni, saucisses) et de fromage (extra de fromage, préparation de fromage fondu et parmesan) ;
- les condiments riches en sel.

Ne pas vous forcer à finir vos assiettes
et apporter le reste à la maison.

CONSULTER LE SITE WEB DE LA SQIC
WWW.SQIC.ORG
POUR CONNAÎTRE LE TITRE DES
MEILLEURS LIVRES DE RECETTES SANTÉ

SECTION
3

LA BONNE UTILISATION
DE VOS MÉDICAMENTS

LA BONNE UTILISATION DE VOS MÉDICAMENTS

Les médicaments sont importants pour le traitement de l'insuffisance cardiaque. Pour qu'ils agissent bien, il faut suivre à la lettre les conseils du médecin et du pharmacien.

Ils doivent être pris régulièrement sinon vous risquez de retourner à l'hôpital pour de l'insuffisance cardiaque, de l'angine ou des troubles du rythme cardiaque importants.

Les informations qui suivent vous permettront de mieux comprendre comment agissent vos médicaments et de quelle façon il faut les prendre.

Ainsi, vous obtiendrez les plus grands bénéfices et éviterez les inconvénients possibles de vos médicaments.

Vos médicaments ont été choisis pour vous et la dose est adaptée à votre condition.

Recommandations générales

- Vous présenter toujours à la même pharmacie. Votre pharmacien a un dossier complet de votre médication et peut vous aider, au besoin.

- Toujours vous informer auprès de votre pharmacien avant d'acheter un médicament sans ordonnance :
    - il peut comporter des risques pour vous ;
    - il peut augmenter ou diminuer l'efficacité d'un médicament ou causer des effets indésirables. Ceci est particulièrement important si vous prenez de la warfarine (Coumadin MD, Taro-Warfarine MD).

LES MÉDICAMENTS

- Certains médicaments disponibles sans ordonnance peuvent aggraver l'insuffisance cardiaque :
  - éviter les **anti-inflammatoires** (les médicaments contenant de l'ibuprofène, comme l'Advil ^{MD} et le Motrin ^{MD}). Ces médicaments peuvent provoquer une accumulation de liquide pouvant aggraver votre insuffisance cardiaque ;
  - si vous avez de la douleur ou de la fièvre, vous pouvez prendre de l'acétaminophène (Tylenol ^{MD}, Atasol ^{MD}) ;
  - utiliser avec prudence les agents contre le rhume et contenant des décongestionnants comme la pseudoéphédrine et la phényléphrine.

- Éviter l'utilisation de produits naturels sans en parler avec votre pharmacien. Ce n'est pas parce qu'un produit est « naturel », qu'il est inoffensif.

- Aucun produit naturel n'est efficace pour traiter l'insuffisance cardiaque. Certains de ces produits peuvent mal réagir avec vos médicaments et provoquer des effets indésirables importants.

- Certains médicaments utilisés pour le traitement de l'insuffisance cardiaque sont aussi utilisés pour le traitement de l'hypertension artérielle (haute pression). Il est important de comprendre que votre pression est souvent normale et même basse dans votre situation. Il ne faut donc pas cesser vos médicaments parce que votre pression est normale.

- Renouveler toujours vos médicaments quelques jours à l'avance afin de ne pas en manquer. Vérifier s'il vous reste des renouvellements permis.

- Ne pas arrêter, augmenter ou diminuer la dose de vos médicaments sans l'avis du médecin. Si vous avez des questions concernant vos médicaments, parlez-en à votre médecin ou votre pharmacien.

- Garder toujours sur vous la liste des médicaments que vous prenez.

- Mentionner à votre médecin et à votre pharmacien tous les médicaments que vous prenez avec ou sans prescription et les changements récents.

Les médicaments qui éliminent le surplus d'eau (diurétiques)

On utilise les diurétiques pour traiter l'enflure et l'essoufflement. Ils agissent en aidant les reins à produire plus d'urine.

Il est possible que vous uriniez plus souvent ou en plus grande quantité.

Les prendre régulièrement, de préférence au déjeuner. Si vous devez prendre plus d'une dose par jour, prenez le dernier comprimé avant 16 h pour éviter de vous lever souvent la nuit pour uriner.

Il est possible de changer le moment de prendre votre diurétique dans la journée pour s'adapter à certaines situations particulières (voyage, rendez-vous, sorties, etc). En parler avec votre pharmacien ou votre médecin pour établir le meilleur moment de prise.

Les diurétiques peuvent causer une perte de potassium. Il est possible qu'on vous demande de manger des aliments qui en contiennent beaucoup (consultez votre pharmacien ou votre nutritionniste) ou que le médecin vous prescrive un supplément.

Les diurétiques peuvent causer des étourdissements, surtout les premiers jours où vous les prenez ou lors d'augmentation de la dose. Éviter de vous lever rapidement et de changer brusquement de position.

Ces médicaments peuvent rendre votre peau plus sensible au soleil et aux rayons émis dans les salons de bronzage. Dans ces cas, utiliser une crème avec un facteur de protection solaire élevé (FPS 30).

Aviser votre médecin ou votre pharmacien si vous ressentez une soif intense et que votre bouche est sèche, si vous avez des crampes ou des douleurs au niveau des muscles et des douleurs articulaires.

TABLEAU DES DIURÉTIQUES

NOM GÉNÉRIQUE	NOM COMMERCIAL
Bumetanide	Burinex MD
Furosémide	Lasix MD Apo-Furosemide MD Novo-Semide MD
Hydrochlorothiazide	HydroDiuril MD Apo-Hydro MD Novo-Hydrazide MD
Hydrochlorothiazide-amiloride	Moduret MD Apo-Amilzide MD Novamilor MD
Hydrochlorothiazide-triamtérène	Dyazide MD Apo-Triazide MD Novo-Triamzide MD
Indapamide	Lozide MD Apo-Indapamide MD Novo-Indapamide MD
Métolazone	Zaroxolyn MD
Torsémide	Demadex MD

LES MÉDICAMENTS

LES MÉDICAMENTS

Les médicaments qui améliorent le fonctionnement du coeur

Les inhibiteurs de l'enzyme de conversion de l'angiotensine

Ces médicaments facilitent le travail de votre cœur. Ils bloquent certaines hormones qui aggravent votre insuffisance cardiaque.

Ils peuvent également être utilisés chez les personnes qui ont de la haute pression.

Ces médicaments améliorent les symptômes d'insuffisance cardiaque, diminuent le risque d'être hospitalisé et prolongent la vie.

Les prendre de façon régulière au même moment de la journée.

Ne pas prendre de suppléments de potassium sauf si votre médecin vous l'a prescrit.

Ces médicaments peuvent causer des étourdissements. Éviter de vous lever rapidement et de changer brusquement de position.

Ces médicaments peuvent causer une toux sèche persistante. Si cet effet vous incommode, en parler à votre médecin ou votre pharmacien.

Très rarement, ces médicaments peuvent provoquer une enflure de la langue, de la gorge ou du visage pouvant rendre la respiration difficile. Si jamais ceci se produit, contacter immédiatement votre équipe de soins ou allez à l'urgence.

TABLEAU DES INHIBITEURS DE L'ENZYME DE CONVERSION DE L'ANGIOTENSINE

NOM GÉNÉRIQUE	NOM COMMERCIAL
Captopril	Capoten MD Apo-Capto MD Novo-Captopril MD
Cilazapril	Inhibace MD
Énalapril	Vasotec MD
Fosinopril	Monopril MD
Lisinopril	Prinivil MD Zestril MD Apo-Lisinopril MD
Périndopril	Coversyl MD
Quinapril	Accupril MD
Ramipril	Altace MD
Trandolapril	Mavik MD

Les antagonistes des récepteurs de l'angiotensine

Ces médicaments agissent de la même façon que les précédents et ont les mêmes effets, sauf qu'ils provoquent moins de toux.

TABLEAU DES ANTAGONISTES DES RÉCEPTEURS DE L'ANGIOTENSINE

NOM GÉNÉRIQUE	NOM COMMERCIAL
Irbesartan	Avapro [MD] Avalide [MD]
Losartan	Cozaar [MD] Hyzaar [MD]
Valsartan	Diovan [MD]
Candesartan	Atacand [MD]
Eprosartan	Teveten [MD]
Telmisartan	Micardis [MD]

La Digoxine

Ce médicament augmente la force de votre cœur. La digoxine améliore les symptômes d'insuffisance cardiaque et diminue le risque d'être hospitalisé.

Le prendre de façon régulière au même moment de la journée. Vous pouvez le prendre avec ou sans nourriture.

Ce médicament peut parfois causer des nausées, des vomissements, de la diarrhée, une perte d'appétit, de la confusion ou des troubles visuels. Si ces effets apparaissent, consulter votre médecin immédiatement ou en parler au pharmacien. Souvent, un simple ajustement de la dose corrige ces inconvénients.

NOM GÉNÉRIQUE	NOM COMMERCIAL
Digoxine	Lanoxin [MD]

Les bêta-bloquants

Ces médicaments améliorent la fonction du cœur en bloquant certaines hormones qui aggravent votre insuffisance cardiaque.

Ils améliorent les symptômes d'insuffisance cardiaque, diminuent le risque d'être hospitalisé et prolongent la vie. Ces médicaments sont également utilisés pour traiter l'angine, la haute pression et les troubles du rythme cardiaque.

Prendre les bêta-bloquants de façon régulière au même moment de la journée.

Une certaine période de temps est nécessaire avant de se sentir mieux. Certaines personnes peuvent même se sentir moins bien pour quelques semaines après avoir débuté un bêta-bloquant ou après une augmentation de la dose.

Si vous vous sentez plus essoufflé, que vos pieds et vos chevilles enflent ou que vous prenez rapidement du poids, appeler rapidement votre clinique d'insuffisance cardiaque ou votre médecin.

Ces médicaments peuvent causer des étourdissements, les mains et les pieds froids, de la fatigue, de l'insomnie, des cauchemars et de l'impuissance sexuelle. Si ces effets apparaissent et vous incommodent, consulter votre médecin ou votre pharmacien.

NOM GÉNÉRIQUE	NOM COMMERCIAL
Métoprolol	Lopresor [MD] ; Novo-metoprol [MD] ; Apo-metoprolol [MD]
Bisoprolol	Monocor [MD] ; Novo-bisoprolol [MD] ; Apo-bisoprolol [MD]
Carvédidol	Coreg [MD] ; Novo-carvedilol [MD] ; Apo-carvedilol [MD]

Les bloqueurs de l'aldostérone

La spironolactone agit en bloquant une hormone qui peut aggraver votre insuffisance cardiaque. Ce médicament diminue le risque d'être hospitalisé et prolonge la vie.

La spironolactone peut également être utilisée comme diurétique (faire uriner).

Les effets indésirables les plus fréquents sont une douleur ou une augmentation des seins, particulièrement chez les hommes.

Puisque ce médicament augmente le potassium dans votre sang, il est important de ne pas prendre de suppléments de potassium sauf si votre médecin vous l'a prescrit.

Si vous développez un mauvais goût dans la bouche ou une diminution de l'appétit, en parler à votre médecin ou votre pharmacien.

NOM GÉNÉRIQUE	NOM COMMERCIAL
Spironolactone	Aldactone MD Novo-Spiroton MD

Les suppléments de potassium

Ce médicament est souvent prescrit lorsque l'on prend des diurétiques.

Le prendre avec un repas ou une collation pour éviter d'irriter votre estomac.

Le prendre régulièrement tel que prescrit sans en prendre plus.

Un surplus de potassium est aussi dangereux qu'un manque.

NOM COMMERCIAL
Micro-K MD
Slow-K MD
K-Dur MD
Pro-K MD

Ce médicament peut causer de la diarrhée, de l'irritation de l'estomac, des nausées et des vomissements. Si ces effets persistent ou vous incommodent beaucoup, consulter votre médecin ou votre pharmacien.

Éviter les substituts de sel (par ex.: No-Salt ^{MD}) sans l'autorisation de votre médecin ou de votre nutritionniste. Ces produits peuvent contenir beaucoup de potassium.

Pour faciliter la prise du K-Dur ^{MD}, vous pouvez le couper ou le dissoudre dans l'eau, mais sans le mâcher ou le croquer.

Si vous prenez le Slow-K ^{MD}, le Pro-K^{MD} ou le Micro-K ^{MD} :

> - l'avaler en entier sans le croquer ou le mâcher ;

> - ne pas se coucher immédiatement après la prise du médicament. Il vaut mieux attendre 30 minutes.

L'amiodarone

L'amiodarone régularise le rythme du cœur.

Ce médicament est habituellement pris une fois par jour avec un repas, à l'exception des premières semaines où il peut être pris jusqu'à trois fois par jour.

NOM COMMERCIAL
Cordarone ^{MD}
Novo-amiodarone ^{MD}
Alti-amiodarone ^{MD}

L'amiodarone peut causer des nausées et des vomissements surtout au début du traitement. Si ces effets surviennent et persistent, en parler à votre médecin ou votre pharmacien.

L'amiodarone rend votre peau plus sensible au soleil et peut amener (rarement) une coloration bleu-gris de votre peau, un débalancement de votre glande thyroïde et certains autres effets secondaires pour lesquels un suivi sera effectué par votre médecin.

Pour éviter la sensibilité de votre peau au soleil, il est important d'utiliser une crème avec une protection solaire élevée (FPS 30 ou plus).

LES MÉDICAMENTS

Les médicaments qui diminuent le cholestérol

Ces médicaments diminuent le cholestérol dans votre sang. L'insuffisance cardiaque est souvent une conséquence d'un blocage des artères de votre cœur par des dépôts de mauvais cholestérol.

Il est donc important de diminuer votre niveau de cholestérol pour diminuer les chances de faire ou refaire un infarctus (crise cardiaque) ou des crises d'angine.

- Suivre les conseils de votre nutritionniste. Le médicament agira plus efficacement.

- Aviser votre médecin ou votre pharmacien si vous avez des douleurs musculaires, de la fatigue ou de la faiblesse importante.

- La niacine peut provoquer des bouffées de chaleur, des rougeurs, des démangeaisons, des étourdissements et des maux de tête. Éviter les boissons chaudes et l'alcool dans les moments entourant la prise de niacine.

Statines

NOM GÉNÉRIQUE	NOM COMMERCIAL
Atorvastatine	Lipitor MD
Lovastatine	Mevacor MD
Fluvastatine	Lescol MD
Pravastatine	Pravachol MD
Rosuvastatine	Crestor MD
Simvastatine	Zocor MD

LES MÉDICAMENTS

Fibrates

NOM GÉNÉRIQUE	NOM COMMERCIAL
Bezafibrate	Bezalip MD
Fenofibrate	Lipidil MD
Gemfibrozil	Lopid MD

Autres

Niacine	Niaspan MD
Ezetimibe	Ezetrol MD

Les médicaments pour diminuer l'anxiété ou faciliter le sommeil

Ces médicaments aident à diminuer la nervosité ou l'anxiété. Ils facilitent aussi le sommeil.

- Ne les utiliser que pour une période de temps limitée. Le risque est de s'y habituer.

- Ne pas dépasser la quantité permise dans une journée.

- Avoir plutôt une routine qui facilite le sommeil.

- Leurs effets désagréables peuvent être de la somnolence et une diminution des réflexes. Être prudent si vous avez à effectuer des actions qui nécessitent toute votre attention.

- Éviter de consommer de l'alcool en même temps que la prise de votre médicament.

LES MÉDICAMENTS

NOM GÉNÉRIQUE	NOM COMMERCIAL
Lorazépam	Ativan [MD]
Flurazépam	Dalmane [MD]
Zopiclone	Imovane [MD]
Bromazépam	Lectopam [MD]
Temazepam	Restoril [MD]
Clonazepam	Rivotril [MD]
Oxazepam	Serax [MD]
Clorazepate	Tranxene [MD]
Diazepam	Valium [MD]
Alprazolam	Xanax [MD]

Les médicaments utilisés pour le traitement des difficultés érectiles

L'insuffisance cardiaque ainsi que les médicaments utilisés pour son traitement peuvent causer des difficultés érectiles chez certains patients.

Les médicaments utilisés dans le traitement des difficultés érectiles ne sont pas nécessairement contre-indiqués lorsque l'on souffre d'insuffisance cardiaque.

Certaines conditions médicales et la prise de certains médicaments peuvent limiter leur utilisation.

Ne jamais utiliser des nitrates (nitro sous la langue, timbres de nitro, Imdur [MD]) en même temps que ces médicaments.

Discuter avec votre cardiologue de votre intention de les utiliser.

LES MÉDICAMENTS

NOM GÉNÉRIQUE	NOM COMMERCIAL
Sildenafil	Viagra MD
Tadalafil	Cialis MD
Vardenafil	Levitra MD

SECTION
4

INTERVENTIONS
SPÉCIALISÉES

LES INTERVENTIONS SPÉCIALISÉES

Dilatation des artères du cœur

Traitement qui élargit les artères bloquées à l'aide d'un petit ballon introduit par l'aine ou le poignet.

Le muscle cardiaque reçoit alors plus de sang et d'oxygène et fonctionne mieux. Souvent, un petit ressort (tuteur ou « stent ») est laissé en place dans l'artère pour diminuer les risques que le blocage revienne.

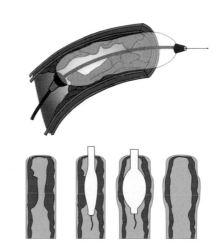

Pontage coronarien

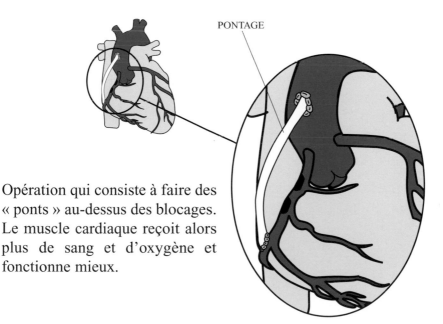

PONTAGE

Opération qui consiste à faire des « ponts » au-dessus des blocages. Le muscle cardiaque reçoit alors plus de sang et d'oxygène et fonctionne mieux.

SQIC

83

Chirurgie des valves

Opération qui consiste à remplacer les valves malades du cœur par des valves artificielles. On peut aussi les réparer. Ces chirurgies facilitent le passage du sang.

Pacemaker (stimulateur cardiaque)

Batterie installée sous la peau et reliée au cœur pour surveiller les battements du cœur. Elle augmente les battements selon les besoins.

Une même batterie peut aussi avoir d'autres fonctions : donner un choc électrique pour cesser une arythmie grave (défibriller), régulariser la fonction du coeur (resynchroniser).

Défibrillateur

La batterie donne un choc électrique lorsque survient une anomalie rapide et dangereuse du rythme cardiaque. Elle ralentit et rétablit un rythme normal.

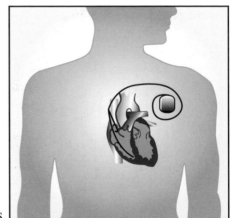

Resynchronisation

La batterie est reliée aux parties gauche et droite du cœur pour leur redonner la capacité de se contracter ensemble et améliorer le fonctionnement de la pompe cardiaque.

Cœur mécanique

Cet appareil remplace la fonction du cœur et aide à maintenir une bonne circulation du sang dans tous les organes.

On l'utilise surtout pour permettre d'attendre la greffe d'un cœur.

Greffe cardiaque

Opération qui consiste à remplacer un cœur malade par un cœur en santé afin de retrouver une vie plus active.

On pense à une greffe lorsque les médicaments et les autres traitements ne sont plus efficaces.

Si votre médecin croit que vous avez besoin d'une greffe, il en discutera avec vous. Vous devrez alors passer des tests pour évaluer votre état général.

INTERVENTIONS SPÉCIALISÉES

SECTION
5

L'ACTIVITÉ
PHYSIQUE

L'ACTIVITÉ PHYSIQUE DANS LE TRAITEMENT DE L'INSUFFISANCE CARDIAQUE

Votre médecin vous recommande de faire de l'activité physique. Vous avez plusieurs questions :

- est-ce vraiment bon pour moi ?
- quelles activités physiques sont bonnes pour moi ?
- quelle intensité est bonne pour moi ?
- comment débuter et progresser ?
- quelles sont les règles de base à respecter ?
- durant l'activité physique, quels symptômes sont normaux et lesquels sont anormaux ?
- comment puis-je rester motivé ?
- puis-je faire des exercices de musculation ?
- devrais-je faire des exercices d'assouplissement ?
- est-ce que je peux faire de l'activité physique si je suis diabétique, si je fais de l'angine ou si j'ai un pacemaker ou un défibrillateur ?
- puis-je m'inscrire dans un cours de groupe ?
- est-ce que je peux continuer à être actif sexuellement ?

L'objectif de cette section est de répondre à ces questions. Si certaines de vos questions restent sans réponse, consulter un spécialiste de l'activité physique.

Est-ce vraiment bon pour moi ?

L'activité physique régulière :

- fait partie du traitement de l'insuffisance cardiaque ;

- améliore la qualité de vie ;

- aide à ralentir la progression de la maladie ;

- améliore la santé physique et psychologique.

Quelles activités physiques sont bonnes pour moi ?

La plupart des activités physiques peuvent apporter des bienfaits pour votre santé : bricolage, travaux ménagers, quilles, marche légère, etc. Créez des occasions de bouger !

Pour augmenter votre endurance, choisir des activités qui font travailler beaucoup de muscles, comme la marche rapide, le vélo, la danse, l'aquaforme, etc.

- Choisir une activité que **vous aimez** ou que vous avez déjà aimée.
- Peu importe l'activité que vous choisissez, commencer lentement.
- Augmenter doucement sa durée et son intensité.

VOICI CE QU'IL FAUT FAIRE :

Accumuler 20 à 60 minutes d'activités physiques par jour.

3 à 5 jours par semaine, idéalement tous les jours.

Essayer de faire 10 minutes à la fois ou plus.

- Pour obtenir des bienfaits d'une activité physique de **faible intensité**, vous devez la faire **plus longtemps** *(Ex. : jardiner ou marcher lentement pendant 45 minutes)*.
- Pour obtenir les mêmes bienfaits d'une activité physique **d'intensité moyenne**, vous pourriez la faire **moins longtemps** *(Ex. : marche d'un bon pas pendant 30 minutes)*.

L'ACTIVITÉ PHYSIQUE

L'ACTIVITÉ PHYSIQUE

Quelle intensité est bonne pour moi ?

L'**échelle de perception d'effort** peut vous guider dans la pratique de vos activités.

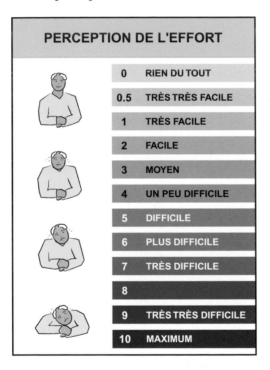

PERCEPTION DE L'EFFORT

0	RIEN DU TOUT
0.5	TRÈS TRÈS FACILE
1	TRÈS FACILE
2	FACILE
3	MOYEN
4	UN PEU DIFFICILE
5	DIFFICILE
6	PLUS DIFFICILE
7	TRÈS DIFFICILE
8	
9	TRÈS TRÈS DIFFICILE
10	MAXIMUM

Pour commencer, faire ses activités à un niveau d'effort moyen, c'est-à-dire : **3 sur 10**.

Augmenter l'intensité au fur et à mesure que votre **tolérance à l'effort s'améliore**.

Par la suite, une intensité entre **3 et 4 sur 10** (moyen à un peu difficile) pendant l'effort est adéquate pour améliorer votre condition physique.

- Il est **normal** d'être un peu essoufflé à l'effort.
- Il est **normal** d'avoir chaud.
- Vous devez pouvoir parler en même temps que vous faites votre activité physique.

92

Comment débuter et progresser ?

Un peu de marche est tout l'exercice dont vous avez besoin pour commencer. Au début, il est très probable que vous soyez souvent fatigué.

- Prendre le temps de vous reposer après une activité qui vous a demandé un certain effort physique.

- Alterner les tâches les plus difficiles avec celles plus faciles.

- Faire vos exercices quand vous avez le plus d'énergie, par exemple le matin ou après une sieste.

Exemple de progression

Voici un exemple de progression pour vous guider dans la reprise de vos activités. *Voir page 94.*

- Débuter au niveau qui semble être adapté à votre condition physique.

- Si vous venez d'obtenir votre **congé de l'hôpital** ou si vous êtes inactif depuis plusieurs années, débuter au niveau 1.

- Si vous êtes déjà actif, commencer par un niveau plus élevé.

- Lorsqu'un niveau est facile, passer au niveau suivant.

- Si vous ressentez une fatigue importante et persistante après une activité, ne pas en faire le lendemain.

 L'ACTIVITÉ PHYSIQUE

L'ACTIVITÉ PHYSIQUE

NIVEAU

1

15 MINUTES PAR JOUR

DURÉE :
5 minutes

FRÉQUENCE :
3 fois par jour

MATIN :
Marcher dans la maison

MIDI :
Marcher à l'extérieur

SOIR :
Marcher dans le corridor

NIVEAU

2

30 MINUTES PAR JOUR

DURÉE :
10 minutes

FRÉQUENCE :
3 fois par jour

MATIN :
Promener le chien

MIDI :
Faire un peu de jardinage

SOIR :
Faire du vélo stationnaire sans résistance

NIVEAU

3

30 MINUTES PAR JOUR

DURÉE :
15 minutes

FRÉQUENCE :
2 fois par jour

MATIN :
Aller chercher le journal au dépanneur

APRÈS-MIDI :
Tondre la pelouse (tondeuse électrique)

NIVEAU

4

30 À 45 MINUTES PAR JOUR

DURÉE :
15 minutes

FRÉQUENCE :
2 à 3 fois par jour

MATIN :
Marcher au centre d'achat

MIDI :
Se rendre à la banque à pied

SOIR :
Faire quelques pas de danse avec son épouse

NIVEAU

5

30 À 60 MINUTES PAR JOUR

DURÉE :
30 à 60 minutes

FRÉQUENCE :
1 fois par jour

La marche, le vélo sationnaire ou de route, la danse, le patinage, le ski de fond, l'aquaforme, et les quilles sont autant de possibilités qui s'offrent à vous !

L'ACTIVITÉ PHYSIQUE

Si vous préférez bouger 20 à 60 minutes de façon continue, allez-y ! Mais sachez que 3 marches de 10 minutes sont aussi valables qu'une marche de 30 minutes. Allez-y selon votre préférence et votre tolérance.

La marche est une activité physique simple et efficace, mais d'autres possibilités s'offrent à vous.

ACTIVITÉS PHYSIQUES		
FAIBLE INTENSITÉ	**INTENSITÉ MODÉRÉE**	**INTENSITÉ ÉLEVÉE**
Travaux ménagers	Tondre la pelouse à pied	Couper du bois
Jardinage léger	Râteler les feuilles	Racquetball
Faire les repas	Activités sexuelles	Tennis simple
Soins corporels	Monter les escaliers	Monter l'escalier avec sacs d'épicerie
Marche légère sur le plat	Marche rapide sur le plat ou lente en montagne	Marche en montagne
Bicyclette stationnaire sans résistance *(ex. : 10 km/h.)*	Bicyclette stationnaire ou de route, à vitesse modérée *(ex. : 15 km/h.)*	Bicyclette stationnaire ou de route, à vitesse rapide *(ex. : 15 à 20 km/h.)*
Pétanque	Volley-ball non compétitif	Patinage rapide
Jeu de fer		Natation effort élevé
Quilles	Tennis en double	Ski de fond rapide *(Ex. : 6 km/h sur le plat)*
Exercices d'étirement	Patinage lent	
Danse lente	Ski de fond lent *(Ex. : 4 km/h sur le plat)*	Conditionnement physique sur musique *(Ex. : Step, Workout)*
	Taï Chi	
	Danse en ligne, disco, folklorique	***Parler avec votre médecin avant de choisir ces activités.***
	Natation effort modéré	
	Aquaforme	

À faire

- Commencer et terminer votre activité doucement. Votre perception d'effort devrait être facile (2 sur l'échelle).
- Prendre vos médicaments comme d'habitude, peu importe le moment où vous pratiquez votre activité.
- Apporter votre nitro avec vous, si prescrite.
- S'il y a du vent et s'il fait froid, vous couvrir le visage.
- Vous vêtir adéquatement et en fonction de la température. Par temps froid, porter plusieurs couches de vêtements.
- Vous procurer des chaussures confortables, bien adhérentes et absorbantes.
- Inscrire à votre agenda vos activités : c'est votre rendez-vous avec votre santé !

- Les efforts inhabituels ou trop brusques, les sports de compétition et le transport de lourdes charges.
- De faire votre activité physique après un repas. Patienter au moins 60 minutes avant d'entreprendre cette activité. Plus votre repas est copieux, plus vous devrez faire preuve de patience !
- De faire votre activité lors de températures extrêmes (grands froids, humidité élevée et températures trop élevées...). Choisir des activités intérieures si la température extérieure est de plus de 25°C ou si elle est inférieure à - 15°C.
- De boire trop d'eau. La quantité d'eau prise lors de votre activité compte dans votre limite de liquide quotidienne.
- De dépasser vos limites.

Durant l'activité physique, quels symptômes sont normaux et lesquels sont anormaux ?

Vous débutez une nouvelle activité et vous vous sentez inconfortable ?

Rassurez-vous, c'est tout à fait normal ! Votre corps doit s'adapter à cette nouvelle activité.

Vos muscles prendront un certain temps pour s'adapter. Il est important de savoir reconnaître les symptômes qui sont normaux et ceux qui ne le sont pas lors de votre activité.

Symptômes normaux :

- respiration plus rapide et plus profonde ;
- transpiration ;
- fatigue ou chaleur dans les jambes ;
- raideurs articulaires.

Symptômes anormaux :

Les symptômes suivants signifient qu'il faut réduire ou arrêter l'activité et en parler avec votre médecin ou votre équipe médicale.

- douleur à la poitrine (angine) ou d'autres régions proches (épaules, mâchoires…) ;
- étourdissements durant l'exercice ;
- palpitations inhabituelles ;
- difficultés respiratoires importantes et prolongées (3-5 minutes) ;
- nausées.

L'ACTIVITÉ PHYSIQUE

Comment puis-je rester motivé ?

Être actif demande de la discipline. Parfois on peut ressentir moins de motivation à bouger. Vous devez jouer un rôle actif dans votre traitement. Voici quelques trucs pour rester motivé :

- choisir une activité qui vous donne du plaisir ;

- accepter qu'une activité puisse être difficile et ennuyante au départ. Elle pourra devenir plus facile et agréable avec le temps si vous devenez plus en forme ;

- rechercher le support de votre conjoint(e) et de votre famille ;

- recruter vos amis pour votre activité ;

- rechercher le support de professionnels de la santé dans votre démarche ;

- tenir un journal de vos activités et vous donner des récompenses en fonction des buts atteints ;

- varier le type de vos activités *(Ex. : lundi = marche, mardi = vélo extérieur, etc.)* ;

- trouver des alternatives selon la température.
  (Ex. : marche dans le centre d'achat plutôt qu'à l'extérieur par temps de pluie).

Le PODOMÈTRE, motivant et stimulant !

Faire l'acquisition d'un podomètre. Le podomètre compte le nombre de pas que vous faites ! Ce petit appareil est aussi léger qu'un crayon et se porte à la ceinture.

C'est une façon stimulante de voir combien de pas vous faites dans une journée. Noter le nombre de pas à chaque jour.

Vous pourrez ainsi observer votre progression. Ensuite, vous pourriez vous fixer des objectifs personnels.

Exemple : lundi = 525 pas, mardi = 625 pas, et ainsi de suite…

Augmenter graduellement votre nombre de pas à chaque jour ! Chaque pas compte et vous procure des bénéfices pour votre santé !

À vos marques ! Prêts ? Marchez !

Puis-je faire des exercices de musculation ?

Un programme d'exercice complet comporte une partie d'exercices musculaires. Vous pourriez consulter un spécialiste en activités physiques pour le choix des exercices de musculation qui vous convient le mieux.

Ce type d'exercice vous aiderait à :

- avoir plus de force et d'endurance pour vos activités de la vie quotidienne ;
- éviter la perte de muscle ;
- aider vos muscles à mieux utiliser l'oxygène.

L'ACTIVITÉ PHYSIQUE

Devrais-je faire des exercices d'assouplissement ?

Yoga, stretching, Pilates : est-ce bon pour moi ?

Parce qu'en vieillissant vous perdez beaucoup de flexibilité… Parce qu'en faisant de simples exercices 2 à 3 fois par semaine, vous pourriez vous améliorer grandement ! La réponse : **évidemment !**

Les exercices de flexibilité vous permettent :

- d'augmenter votre amplitude de mouvement ;
- de vous détendre.

Demander à un spécialiste en activités physiques un programme d'exercices d'assouplissement que vous pourriez pratiquer à la maison ou dans un centre de conditionnement physique. Ceci pourrait être bénéfique pour vous.

Est-ce que je peux faire de l'activité physique si je suis diabétique, si je fais de l'angine ou si j'ai un pacemaker ou un défibrillateur ?

Diabète

L'activité physique est aussi une des bases du traitement du diabète.

Cependant, il y a quelques précautions supplémentaires à prendre pour s'assurer que le taux de sucre de votre sang demeure le plus stable possible. Au cours d'une activité, même si elle est d'intensité modérée ou faible, votre taux de sucre peut diminuer. Voici donc quelques précautions particulières pour éviter que cela se produise :

100

- prendre votre glycémie (taux de sucre) avant et surtout après (et parfois pendant) l'activité ;

- si votre glycémie est inférieure à 5 mmol/L, prendre une collation (approximativement 15 grammes de glucides (*Ex. : 1/2 petite boîte de jus*) ;

- si votre effort se poursuit entre 60 et 90 minutes, prévoir une petite collation, par exemple un fruit ;

- avoir avec vous une collation (pâte de fruit, petit jus, etc.) en cas d'hypoglycémie.

> **Si votre taux de sucre baisse trop souvent, contacter votre équipe médicale.**
>
> **Vos médicaments devront peut-être être changés ou ajustés.**

Pour votre sécurité et limiter votre risque de blessures, voici d'autres conseils :

- inspecter vos pieds avant et après votre activité. Vous assurer qu'ils n'aient pas de blessures ou de rougeurs ;

- porter des souliers confortables et bien ajustés ;

- porter des bas de coton et les changer régulièrement ;

- garder la même routine au départ, cela vous aidera à prévoir comment varie votre taux de sucre ;

- faire votre activité avec un partenaire, surtout au début ;

- le port du bracelet Médic-Alert est recommandé, surtout pour la pratique d'activités extérieures.

L'ACTIVITÉ PHYSIQUE

Angine

Beaucoup d'insuffisants cardiaques souffrent d'angine. L'activité physique est conseillée chez les personnes qui souffrent d'angine stable. C'est une angine qui est contrôlée, qui se présente toujours dans les mêmes conditions et qui est prévisible.

Avant d'entreprendre un programme d'exercices, vous devriez être en mesure de :

- connaître vos symptômes d'angine ;
- vérifier avec votre cardiologue ou votre spécialiste en activité physique à quel niveau d'intensité votre angine se présente.

Faire vos activités sans ressentir d'angine. Avoir en votre possession votre nitroglycérine si prescrite. Débuter et terminer plus doucement vos activités.

Porteurs de pacemaker ou de défibrillateur

La présence d'un stimulateur cardiaque ne devrait pas vous empêcher de pratiquer vos activités préférées, mêmes celles nécessitant l'usage de vos bras.

Si vous portez un défibrillateur, ne pas pratiquer d'activités physiques intenses ou brusques comme la course rapide, le tennis et le hockey. Cela pourrait faire augmenter de façon importante vos battements cardiaques et risquer ainsi de déclencher certains modèles de défibrillateur. Demander conseil à votre cardiologue.

L'ACTIVITÉ PHYSIQUE

Puis-je m'inscrire dans un cours de groupe ?

Vous désirez vous inscrire dans un cours de groupe ? Comme par exemple les cours d'aérobie, d'aquaforme, de yoga, de Pilates, de step, etc. Vous vous demandez si c'est bon pour vous. L'aspect le plus important est le choix de votre cours. Le cours ne doit pas être trop intensif ! Il doit convenir à votre niveau de condition physique !

Voici quelques trucs qui vous aideront :

- choisir un groupe débutant (ou pour personnes âgées), sans sauts ;
- débuter par un essai gratuit. Vous serez en mesure d'expérimenter le niveau du groupe ;
- vous placer à l'arrière du groupe pour vous sentir libre de ralentir vos mouvements ;
- demander au spécialiste de l'activité physique des mouvements différents pour remplacer ceux que vous trouverez trop difficiles ;
- peut-être que le groupe progressera plus vite que vous : y aller à votre rythme ;
- rechercher les centres conseillés par votre équipe médicale.

Est-ce que je peux continuer à être actif sexuellement ?

Vous êtes insuffisant cardiaque et les activités sexuelles vous inquiètent ? Rassurez-vous ! Le travail demandé à votre cœur pour les relations sexuelles est le même que pour des activités telles que marcher rapidement ou monter deux escaliers.

Il est peu risqué d'avoir des problèmes cardiaques pendant une relation sexuelle.

SECTION
6

L'ADAPTATION PSYCHOLOGIQUE
À L'INSUFFISANCE CARDIAQUE

L'ADAPTATION PSYCHOLOGIQUE À L'INSUFFISANCE CARDIAQUE

L'insuffisance cardiaque apporte de nouveaux stress pour vous et les membres de votre entourage.

Les priorités ne sont plus les mêmes. Il faut s'adapter à ce corps qui n'a plus la même énergie qu'avant. Cela demande du temps, du courage, de la détermination et du soutien.

Le médecin et les autres professionnels de la santé peuvent vous aider en vous informant sur votre maladie et sur les traitements nécessaires. Cette information est essentielle pour une bonne adaptation à votre maladie. Plusieurs personnes qui souffrent d'insuffisance cardiaque comme vous arrivent à bien s'adapter à tous ces changements et à être heureuses à nouveau.

Un exemple

Monsieur B. est âgé de 56 ans. Il était reconnu comme une « force de la nature ». Au cours des 20 dernières années, il a subi deux crises cardiaques. Il souffre maintenant d'insuffisance cardiaque depuis deux ans.

Il a dû laisser son métier à cause de ses problèmes cardiaques. Il lui a également été nécessaire de changer plusieurs de ses habitudes de vie : il a dû modifier son alimentation, arrêter de fumer et faire plus d'activité physique.

L'ADAPTATION PSYCHOLOGIQUE

Ça n'a pas été facile! Il n'acceptait pas les limites physiques que lui imposait son insuffisance cardiaque. Le deuil de son emploi fut très pénible à vivre, lui qui avait toujours adoré travailler. Et il a vécu beaucoup de colère du fait que les membres de sa famille, voulant bien faire, l'empêchaient de faire les tâches autour de la maison dont il était responsable auparavant.

Monsieur B. a vécu un moment difficile mais avec l'aide de son équipe médicale et de son entourage, il pu apprendre à bien s'adapter à sa nouvelle situation de vie.

Il a recommencé à visiter ses amis, à bricoler et s'est inscrit à un cours de cuisine. Il passe plus de temps avec sa femme et sa relation avec elle lui apporte une grande satisfaction. Enfin, il consacre une grande partie de son temps à imaginer diverses inventions, ce qui lui procure beaucoup de plaisir. Malgré ses limites réelles, il est arrivé à s'adapter assez bien à son insuffisance cardiaque et a retrouvé le plaisir de vivre.

Mais comment faire pour s'adapter à l'insuffisance cardiaque ?

Vos émotions, vos sentiments et vos attitudes influencent votre état de santé.

Monsieur B. a réalisé qu'il était mieux de diriger son attention sur ce qu'il pouvait faire plutôt que sur ce qu'il n'arrivait plus à faire comme avant. Il a recherché tout ce qui pouvait le satisfaire dans le présent. C'est son attitude qui a fait toute la différence. Il demeure jusqu'à ce jour positif.

Au contraire, le découragement, la culpabilité, la tristesse, les sentiments dépressifs et la révolte peuvent nuire à votre traitement et vous empêcher de bien suivre les recommandations médicales. L'anxiété, le stress et la colère peuvent, quant à eux, contribuer à élever la pression artérielle et le pouls. Il peut alors devenir plus difficile de bien respirer.

Le processus d'adaptation psychologique à l'insuffisance cardiaque

Souffrir d'insuffisance cardiaque, c'est tout d'abord traverser un état de crise au plan psychologique. Les habitudes de vie et l'image de soi changent profondément. C'est comme une blessure. Avec le temps, elle peut guérir, mais le corps et l'esprit vont changer. La blessure laissera une cicatrice permanente dont il faudra toujours prendre soin. Votre style de vie, votre sécurité financière et vos relations avec les autres ne seront plus les mêmes.

Cette période d'adaptation à la maladie ressemble à un deuil. Quand on perd quelqu'un ou quelque chose de précieux comme la santé, cela demande du temps pour s'y adapter.

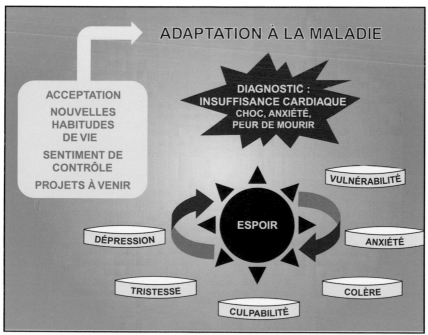

L'ADAPTATION PSYCHOLOGIQUE

109

L'ADAPTATION PSYCHOLOGIQUE

Plusieurs réactions psychologiques peuvent apparaître lorsque vous apprenez que vous souffrez d'insuffisance cardiaque.

Voici les réactions émotives les plus fréquentes et qui mènent habituellement à l'acceptation de la maladie : la vulnérabilité, l'anxiété, la colère, la culpabilité, la tristesse et la dépression.

La vulnérabilité

Vous pouvez devenir vulnérable lorsque vous êtes atteint d'une maladie qui change votre capacité à fonctionner dans la vie de tous les jours. Vous pouvez alors ressentir de la honte ou de la fragilité, la peur de ne plus être capable de faire certaines tâches comme avant, la crainte de devenir dépendant et de perdre votre autonomie.

Que faut-il faire ?

Malgré la maladie, vous restez toujours une personne avec des qualités, des connaissances et des intérêts :

- faire une liste de ce que vous n'arrivez plus à faire ;
- faire une liste de ce que vous pouvez toujours faire et comparer les deux listes ;
- rester actif autant que vous le pouvez ;
- ne pas chercher à en faire trop à la fois afin de conserver votre énergie.

110

L'**ADAPTATION PSYCHOLOGIQUE**

L' anxiété

Vous vous demandez si vous allez mourir, si vos proches vont vous abandonner et vous rejeter, si vous allez vous retrouver seul, si vous allez perdre le contrôle de votre vie ?

Vous vous sentez insécure quant à votre état de santé ? Vous avez de la difficulté à vivre avec le fait de ne pas savoir ce qui va vous arriver ?

L'anxiété est une réaction commune lorsqu'on souffre d'une maladie chronique et sérieuse.

L'anxiété peut se manifester par :

- une agitation importante ;
- le sentiment d'être à bout et survolté ;
- des tensions musculaires, de l'insomnie ou un sommeil agité ;
- des soucis excessifs dans plusieurs domaines importants de la vie (par ex. : finances, relations avec les proches, santé).

Que faut-il faire ?

Reconnaître et avouer vos peurs. En parler à vos proches. Peut-être partagent-ils aussi certaines de ces craintes.

Si votre anxiété vous empêche de bien fonctionner ou vous fait trop souffrir, consulter rapidement votre médecin ou un autre professionnel de la santé (par ex. : psychologue) qui pourra vous aider.

La colère
et la révolte

Le fait de souffrir d'insuffisance cardiaque, de perdre votre santé telle que vous la connaissiez peut provoquer chez vous un sentiment de profonde injustice et de révolte.

Il se peut que vous développiez de la colère, de l'irritabilité, de l'impatience et de la rancune contre les membres de votre famille, contre votre entourage et contre la vie elle-même.

Pourquoi êtes-vous confronté à cette maladie ? Pourquoi les membres de votre équipe médicale ne peuvent-ils pas vous guérir ? Pourquoi votre entourage ne vous comprend-il pas ? Pourquoi vous ? Voilà plusieurs questions qui peuvent venir vous bouleverser.

Que faut-il faire ?

Il est normal de se sentir fâché lorsqu'on perd quelque chose d'important tel que la santé. Ne pas laisser cette colère prendre toute la place.

Ce sentiment de colère signifie que vous prenez petit à petit conscience de la réalité liée à votre maladie. Ne pas la refouler. L'identifier, écrire ou verbaliser ce qui ne va pas.

Exprimer votre colère et vos frustrations sans heurter les autres et sans blesser votre cœur et vos artères ! Car la colère qui est mal gérée, a un effet négatif sur votre santé cardiaque.

Voici quelques outils qui pourront vous aider à mieux gérer votre colère :

- reconnaître vos propres manifestations de colère et apprendre à les accepter, sans vous blâmer ;
- dire vos insatisfactions et vos déceptions au fur et à mesure afin d'éviter d'accumuler des sentiments de rancune et d'exploser par la suite. *Parler en utilisant le « je » afin que l'autre accepte mieux ce que vous avez à lui dire ;*
- exprimer vos émotions, vous permettre de pleurer ;
- faire de l'activité physique de façon régulière ;
- apprendre à vous affirmer.

Comment mieux vous affirmer :

- dire ce que vous pensez et ressentez, oser prendre la parole ;
- regarder vos interlocuteurs dans les yeux ;
- oser demander, oser refuser ;
- oser vous exprimer, même si cela ne va pas toujours plaire ;
- éviter dc blâmer ou de généraliser ;
- exprimer vos émotions calmement. Éviter de crier, de faire des reproches, de faire la morale ou d'interrompre ;
- exprimer clairement vos besoins, faire des suggestions précises ;
- être ouvert à entendre la critique des autres ;
- rechercher les contacts, les liens, les échanges avec les autres ;
- accepter les désaccords et les confrontations ;
- apprendre à vous accepter tel que vous êtes ;
- parler suffisamment fort et bien articuler afin d'être entendu et compris.

L'ADAPTATION PSYCHOLOGIQUE

L'ADAPTATION PSYCHOLOGIQUE

La culpabilité

Vous vous faites des reproches. Vous vous sentez coupable de ne pas avoir pris soin de votre santé dans le passé. Peut-être vous dites vous que si vous aviez mieux mangé, que si vous aviez fait plus d'activité physique et arrêté de fumer, vous n'auriez pas fait de l'insuffisance cardiaque…

Que faut-il faire ?

Il est normal de chercher à comprendre les causes de votre état. C'est en quelque sorte une façon de reprendre le contrôle. Mais rien ne sert de vous en vouloir sans arrêt. Cela va vous faire sentir encore plus impuissant et déprimé. Cela ne changera pas la situation. Personne ne peut changer le passé. Voir plutôt ce que vous pouvez faire maintenant pour reprendre le contrôle de votre vie et bien prendre soin de vous et de votre santé cardiaque.

La tristesse

Vous ressentez de la peine devant votre santé perdue, vous vous sentez découragé, vous avez tendance à vivre dans le passé, vous manquez d'énergie, vous vous sentez coupable, vous vous sentez diminué et vous avez l'impression que rien ne sera plus comme avant, vous vous retirez socialement, vous avez des difficultés d'attention et de concentration, etc.

Ces sentiments ne doivent pas être confondus avec la dépression. C'est une étape **normale et passagère**.

Vous prenez peu à peu conscience de la maladie, de vos limites, de votre propre mortalité et de votre responsabilité quant à votre traitement et quant aux changements de votre mode de vie.

114

Que faut-il faire ?

Cette tristesse est tout à fait normale ! Vous vous sentez blessé -et vous l'êtes !

Ne pas nier vos sentiments. Parler de ce que vous ressentez à quelqu'un en qui vous avez confiance. Pleurer si vous en avez envie.

Le deuil de votre santé telle que vous la connaissiez se fera à votre rythme. Cela demande du temps.

Chercher du soutien auprès de votre entourage et du personnel de la santé au besoin.

Petit à petit, vous pourrez arriver à vous adapter à cette nouvelle réalité.

La dépression

La dépression est courante chez les personnes qui souffrent d'insuffisance cardiaque.

La dépression peut réduire votre capacité à bien prendre soin de votre santé.

En effet elle peut :

- augmenter votre risque de mortalité ;
- augmenter vos séjours à l'hôpital ;
- augmenter le nombre et la durée de vos symptômes physiques ;
- nuire à votre capacité à bien prendre votre médication et à modifier vos habitudes de vie tel que recommandé par votre équipe médicale ;
- nuire à vos relations avec votre famille et avec votre entourage.

L'ADAPTATION PSYCHOLOGIQUE

L'ADAPTATION PSYCHOLOGIQUE

D'où l'importance de bien identifier la dépression et de la traiter si nécessaire.

Comment savoir si vous souffrez de dépression ?

Voici une liste de symptômes qu'il faut prendre au sérieux :

- tristesse, désespoir, sentiments de découragement et d'impuissance marqués et continus ;
- perte d'intérêt et de plaisir pour presque toutes les activités ;
- problèmes de sommeil (trop ou trop peu) ;
- agitation, mouvements et/ou discours ralentis ;
- manque d'énergie, sentiment de fatigue généralisée ;
- sentiments importants de dévalorisation et de culpabilité ;
- difficultés de concentration, d'attention, difficulté à prendre des décisions ;
- pensées de mort répétitives, idées suicidaires.

Que faut-il faire ?

Consulter rapidement votre médecin si vos symptômes sont présents de façon régulière. Celui-ci pourra, si nécessaire, vous diriger vers un psychologue ou un psychiatre.

> **La souffrance provoquée par la dépression peut être soulagée. Actuellement, vous ne voyez peut-être pas comment, mais quelqu'un peut vous aider à y voir plus clair.**

La dépression peut être traitée efficacement en suivant une psychothérapie et en prenant au besoin des antidépresseurs.

Pratiquer régulièrement de l'activité physique et continuer à fréquenter votre entourage peuvent également aider à combattre la dépression.

Ne pas vous blâmer si vous souffrez de dépression, c'est une condition médicale qui n'apparaît pas parce que vous êtes faible et manquez de volonté.

116

L' acceptation

Ainsi, il faudra apprendre à accepter de vivre avec la maladie. Ceci vous permettra de mieux vous impliquer dans votre suivi médical et de mieux organiser vos vies personnelle, familiale, et sociale.

Il devient alors possible de reprendre le contrôle par rapport à votre santé, tout en vous sentant moins envahi par votre insuffisance cardiaque et par vos craintes de la mort.

Il faut accepter les limites et les deuils liés à votre maladie. Vous pouvez vous organiser un style de vie qui vous convient et ce, tant au niveau personnel, familial que social.

> **Accepter la maladie, c'est réapprendre à faire des projets d'avenir et permettre à la vie de renaître à nouveau.**

Les nouvelles règles du jeu

Beaucoup de choses ont changé depuis votre diagnostic d'insuffisance cardiaque (par ex. : votre niveau d'énergie, votre rythme de vie, votre alimentation, vos revenus, la nécessité de prendre des médicaments et peut-être certaines de vos relations. Il s'agit d'une importante transition de vie.

Dans la famille, les rôles changent. Le partage des tâches et des responsabilités doit se faire autrement (par ex. : repas, entretien de la maison, etc.).

L'ADAPTATION PSYCHOLOGIQUE

Il est important pour votre santé, pour votre estime de soi et pour garder le moral de garder des activités et des responsabilités en tenant compte de vos capacités et de vos limites.

Maintenir votre routine quotidienne le plus normalement possible.

Négocier avec vos proches pour partager les responsabilités quotidiennes de façon différente.

Voici quelques conseils qui peuvent vous aider :

- être réaliste, mais vous impliquer. Continuer à faire des projets, à voir votre famille et vos amis ;

- ne pas laisser les autres vous surprotéger. Il est normal que vos proches s'inquiètent à votre sujet. Mais ils ne doivent pas faire tout pour vous. En parler avec eux ;

- demander de l'aide clairement et de façon directe ;

- ne pas hésiter à demander de l'aide de votre réseau social pour vous-même et votre famille. Il vous sera plus facile de gérer l'impact de votre maladie sur votre vie et celle de vos proches ;

- apprendre à parler ouvertement de l'effet de la maladie sur votre vie, des frustrations et des déceptions qui s'y rattachent, des difficultés dans la vie quotidienne qui peuvent en découler ;

- ne jamais oublier de prendre soin de vous. Vous êtes la priorité !

L'importance de bien suivre les conseils de votre équipe médicale

Vous trouvez qu'il est compliqué et fatiguant de suivre les conseils de votre équipe médicale ? Si vous avez de la difficulté à bien prendre votre médication et à modifier vos habitudes de vie, vous n'êtes pas seul !

En effet, les difficultés à suivre les conscils sont très fréquentes auprès des gens qui souffrent d'insuffisance cardiaque.

Ne pas suivre les conseils de votre équipe médicale est la principale cause d'aggravation de vos symptômes d'insuffisance cardiaque, de retour à l'hôpital et de mortalité.

Comment vous aider à bien suivre les conseils de votre équipe médicale :

- vous informer le plus possible sur l'insuffisance cardiaque et sur ses traitements ;

- ne pas hésiter à poser toutes vos questions à votre équipe médicale. Les gens qui comprennent le rôle de leur médication et les raisons de modifier leurs habitudes de vie ont plus de chances d'avoir du succès dans le contrôle de leur insuffisance cardiaque ;

- adopter une routine quotidienne stable en matière d'alimentation, de prise de médicaments et d'activité physique ;

- trouver une activité physique que vous aimez. Il vous sera beaucoup plus facile et agréable de la pratiquer régulièrement ;

L'ADAPTATION PSYCHOLOGIQUE

L'ADAPTATION PSYCHOLOGIQUE

- utiliser des aides mémoire, des piluliers (Dosett MD, Dispill MD), des alarmes afin de vous aider dans la prise de vos médicaments ;

- ne pas hésiter à demander le soutien de votre famille et de vos amis dans la prise de vos médicaments et dans la modification de vos habitudes de vie ;

- établir des priorités ! Si vous ne placez pas la modification de vos habitudes de vie et la prise de vos médicaments en première place, vous allez avoir plus de difficulté à suivre votre plan de traitement ;

- former un partenariat avec votre équipe médicale ;

- être optimiste quant à votre capacité à gérer votre insuffisance cardiaque. Les gens qui voient l'avenir de façon positive s'adaptent mieux à leur maladie, peu importe leurs limites physiques. Ils s'impliquent plus activement dans leur vie.

La gestion du stress

De hauts niveaux de stress sont en soi un des facteurs de risque dans le développement de la maladie cardiaque (et d'autres maladies telles que le rhume !).

Mais qu'est ce que le stress ? C'est en fait la réponse du corps à toute demande qui lui est faite.

120

L'ADAPTATION PSYCHOLOGIQUE

Cette demande peut être positive (par ex. : nouvel emploi, mariage) ou négative (par ex. : diagnostic d'insuffisance cardiaque, séparation).

C'est votre façon de répondre au stress qui importe. Quand le stress devient excessif ou dépasse votre capacité à y faire face, ceci peut être négatif pour votre santé, surtout cardiaque.

Le stress, s'il est mal géré, peut ainsi :

- provoquer ou aggraver la haute pression ;
- provoquer des inconforts au niveau de la poitrine qui peuvent ressembler à des douleurs cardiaques ;
- causer des palpitations ou des troubles du rythme cardiaque ;
- diminuer votre qualité de vie.

Pour mieux contrôler votre stress, voici quelques suggestions :

- **Identifier vos propres manifestations de stress.**

  - Manifestations physiques :
    Difficultés de digestion, maux de tête, palpitations cardiaques, tension musculaire, haute pression.

  - Manifestations psychologiques :
    Angoisse, insomnie, agitation, irritabilité, pessimisme.

  - Manifestations dans le comportement :
    Changement de l'appétit, excès de sommeil, tabagisme, prise d'alcool ou de drogues, changement dans la prise de médicaments.

  Ainsi, vous pourrez trouver des moyens afin de mieux contrôler vos sources de stress.

L'ADAPTATION PSYCHOLOGIQUE

- **Gérer le stress qui se rapporte à votre santé cardiaque.**

    - Bien vous informer sur l'insuffisance cardiaque et ses traitements :
        ○ on a plus de pouvoir sur une situation qu'on connaît bien.

    - Bien suivre le plan de traitement recommandé par votre équipe médicale; vous éviterez ainsi des visites inutiles à l'hôpital.

    - Avoir une routine saine et des comportements santé.

    - Adopter un rôle actif dans la prise en charge de votre santé : participer directement aux décisions. Après tout, vous êtes le principal intéressé ! Poser des questions au médecin et aux autres professionnels de la santé. Vous faire bien expliquer ce que vous avez du mal à comprendre. Votre état de santé en dépend.

    Voir régulièrement votre médecin. Annuler les rendez-vous chez le médecin ou les reporter augmente les risques de déséquilibrer votre état de santé.

- **Améliorer votre sommeil.**

    - Adopter une routine régulière en matière d'heures de sommeil et d'habitudes avant d'aller vous coucher. Aller vous coucher et vous lever à des heures régulières et ce, même si vous êtes fatigué le matin.

    - Éviter les siestes pendant la journée.

- Ne pas vous forcer à vous endormir. Si vous n'arrivez pas à dormir après 20-30 minutes, vous lever, aller dans une autre pièce et vous engager dans une activité relaxante (par ex. : émission de télévision, cassette de relaxation, lecture). Vous recoucher uniquement lorsque vous vous sentirez vraiment fatigué.

- Éviter le café, le thé, les boissons gazeuses et l'alcool ainsi que les repas copieux le soir.

- Faire de l'activité physique pendant la journée et non avant d'aller vous coucher.

- Aménager votre chambre à coucher : calme, obscure, avec température ambiante fraîche entre 60 et 70° F (16 et 21° C) et une bonne literie. Réserver cet endroit uniquement pour le sommeil ou pour le repos.

- Ne pas vous laisser devenir intimidé ou apeuré par l'insomnie. Travailler à l'apprivoiser lorsqu'elle se présente. Vous pouvez quand même fonctionner après une mauvaise nuit, et ce même si vous n'avez eu que quelques heures de sommeil. Le moins vous craindrez vos difficultés de sommeil, le plus rapidement celles-ci partiront !

- Vous endormir en pensant à des choses positives et agréables, éviter de ruminer vos soucis en vous couchant ou d'utiliser ce moment calme pour réfléchir.

- Si vous pensez que des difficultés émotives sont à l'origine de vos problèmes de sommeil, ne pas hésiter à consulter un psychologue. La dépression et l'anxiété produisent souvent de l'insomnie.

L'ADAPTATION PSYCHOLOGIQUE

L'ADAPTATION PSYCHOLOGIQUE

- **Gérer le stress psychologique.**
  - Exprimer vos émotions et vos besoins clairement, partager ce que vous ressentez avec quelqu'un en qui vous avez confiance.
    - Si vous êtes seul ou si personne ne peut vous écouter dans votre entourage, consulter un professionnel de la santé. Il n'est pas bon pour votre santé de refouler vos frustrations, vos peurs, votre chagrin ou votre colère.
  - Vous accorder chaque jour une période de relaxation. Un stress intense peut nuire beaucoup à votre état de santé. Il existe plusieurs moyens de vous détendre :
    - le repos ;
    - la musique douce ;
    - les vacances ;
    - les loisirs que vous privilégiez (par ex. : lecture, peinture) ;
    - l'imagerie mentale (penser à des scènes que vous aimez et qui vous détendent (par ex. : vous imaginer étendu au soleil sur une belle plage) ;
    - les techniques de relaxation (des cassettes ou des disques compacts sont disponibles chez votre marchand de disques ou chez votre libraire. Vous pouvez aussi demander que l'on vous réfère à une clinique de relaxation) ;
    - l'activité physique (celle qui vous est recommandée) ;
    - le massage, la méditation, le yoga.

- Essayer de planifier vos activités et d'en entreprendre une à la fois.

- Garder une perspective d'ensemble sur la vie, prendre du recul face aux événements.

- Être optimiste le plus souvent possible. Prendre le temps de rire et d'utiliser votre sens de l'humour.

- Apprendre à lâcher prise sur les éléments de votre vie sur lesquels vous n'avez aucun contrôle.

- Faire preuve d'indulgence : être moins exigeant envers vous-même et envers autrui.

- Accepter l'incertitude de la vie.

- Faire des choix par plaisir et non pour plaire aux autres.

- Rester actif ! Vous pouvez aussi aller au cinéma, au théâtre, à la bibliothèque municipale, etc.

- Ne jamais oublier de prendre soin de vous, à tout moment !

- **Gérer le stress venant de l'extérieur.**

    - Identifier et diminuer le plus possible les sources de stress (par ex. : s'éloigner du bruit, modifier son horaire).

    - Établir des priorités. Faire des changements au niveau de votre emploi du temps si vous êtes surchargé.

    - Apprendre à affirmer vos besoins, à dire non et à déléguer.

    - Prendre le soin de bien vous entourer (par ex. : vous joindre à un groupe de personnes qui sont positives, enjouées et actives, adhérer à un club de bridge, un club de lecture, etc.).

L'ADAPTATION PSYCHOLOGIQUE

L'ADAPTATION PSYCHOLOGIQUE

Le soutien social

Votre capacité à créer des liens proches et intimes ainsi que des amitiés a un effet bénéfique sur votre santé cardiaque.

Le soutien social aide aussi à adopter des comportements santé bénéfiques pour le contrôle de votre insuffisance cardiaque.

Le soutien social permet de :

- diminuer les effets négatifs du stress ;
- conserver un bon moral et de diminuer l'anxiété ;
- donner une signification à votre vie ;
- mieux respecter les conseils de votre équipe médicale ;
- mieux résister aux infections.

Le soutien social peut être :

- émotionnel (par ex. : encouragements, écoute, etc.) ;
- pratique (par ex. : pour tondre le gazon, pour enlever la neige, pour faire l'épicerie, etc.) ;
- spirituel (par ex. : activité religieuse, groupes de lecture ou de discussion).

Le soutien social peut provenir de différentes sources :

- des membres de votre famille ;
- des amis ;
- des voisins ;

- des organismes communautaires (par ex. : club social) ;
- des groupes d'entraide ou qui partagent les mêmes intérêts ou valeurs que vous ;
- des hôpitaux et des cliniques médicales ;
- des professionnels de la santé (médecin, infirmière, nutritionniste, pharmacien, psychologue, psychiatre, travailleur social, kinésiologue, physiothérapeute, etc.).

Comment améliorer votre réseau de soutien social ?

- Investir du temps de qualité auprès de votre famille et de vos amis.
- Renouer avec des amis que vous aviez perdus de vue ou négligés.
- Vous joindre à un groupe qui partage les mêmes intérêts que vous (par ex. : club de marche ou d'échecs, cours d'écriture ou de yoga).
- Prendre part à un groupe de soutien ou d'entraide.
- Faire du bénévolat, vous joindre à un groupe communautaire qui partage les mêmes valeurs que vous.

La sexualité

Vous avez des craintes quant à votre vie sexuelle depuis que vous savez que vous souffrez d'insuffisance cardiaque ? Il est tout à fait normal d'avoir des inquiétudes quant à la reprise de votre vie sexuelle.

Ces peurs peuvent porter notamment sur l'effort requis ou sur le risque d'avoir un malaise cardiaque et d'en mourir pendant l'activité sexuelle.

L'ADAPTATION PSYCHOLOGIQUE

L'ADAPTATION PSYCHOLOGIQUE

Il est peu risqué d'avoir des problèmes cardiaques pendant une relation sexuelle.

Par contre, il se peut que dans les stades plus avancés de l'insuffisance cardiaque vous n'ayez pas la force physique nécessaire. D'autres formes d'activités sexuelles qui réduisent l'effort peuvent alors être envisagées (par ex. : caresses, massages, positions sexuelles moins actives, etc).

Il se peut également que vous développiez des problèmes de désir, ce qui est souvent le cas chez les gens qui souffrent de maladies chroniques. Plusieurs personnes deviennent désintéressées par la sexualité ou inactives sexuellement, à cause des craintes quant à la sécurité des relations sexuelles et en raison de problèmes d'image corporelle.

La dépression, la fatigue, le stress, l'anxiété, la colère, la rancune et la douleur peuvent aussi jouer. Ces difficultés peuvent faire en sorte que vous ou votre partenaire évitiez les relations sexuelles.

D'où l'importance de toujours informer votre partenaire des effets de la maladie sur la vie sexuelle. L'intimité et la vie sexuelle sont des besoins très importants qu'il ne faut pas négliger et qui peuvent avoir un impact important sur la qualité de votre vie de couple.

Comment améliorer votre vie sexuelle ?

- Habitudes de vie :
  - développer une routine quotidienne saine au niveau de votre alimentation, de votre activité physique, de votre repos, de votre gestion du stress ;
  - faire de l'activité physique régulièrement. Celle-ci aura un effet positif sur votre image corporelle, sur votre humeur, sur votre estime de soi et sur votre santé ;

128

- éviter le tabagisme ;
- limiter votre consommation d'alcool ;
- prévoir un délai de deux heures entre votre consommation d'aliments et d'alcool et l'activité sexuelle pour vous donner le temps de digérer et afin d'éviter de trop faire travailler votre cœur.

- Médication :
  - discuter avec votre cardiologue de la médication qui pourrait avoir un effet sur votre vie sexuelle ;
  - traiter la dépression si vous en souffrez. Si elle demeure non-traitée, elle pourrait affecter négativement votre vie sexuelle.

- Environnement favorable :
  - choisir un endroit calme où vous ne serez pas dérangé ;
  - planifier votre relation sexuelle lorsque vous serez reposé, détendu et à un moment de la journée où votre niveau d'énergie sera le meilleur ;
  - maximiser votre confort physique (par ex. : choix de positions, utilisation d'oreillers) ;
  - vous assurer que la température de la pièce ne soit pas trop chaude.

- Aspects psychologiques :
  - respecter votre rythme, éviter de précipiter les choses ;
  - ajuster vos attentes. Certaines personnes acceptent uniquement une performance sexuelle parfaite,

L'ADAPTATION PSYCHOLOGIQUE

avec pénétration, sans quoi ils n'auront plus de vie sexuelle ;

- en discuter avec votre partenaire. Il devient peut-être intéressant d'apprendre à accepter une performance sexuelle partielle. Le résultat et la performance ne doivent pas être les uniques sources de préoccupation ;

- utiliser des caresses, des massages, des paroles douces ;

- communiquer ce que vous aimez, ce que vous aimez moins et vos besoins à votre partenaire. Ceci pourra améliorer la qualité de votre vie sexuelle et vous permettra aussi d'éviter les conflits ;

- ne pas hésiter à aller chercher de l'aide professionnelle si vous vous inquiétez quant à votre vie sexuelle. Vous pouvez en parler à votre médecin qui vous référera si nécessaire à un psychologue ou à un sexologue. Ceci peut se faire de façon individuelle ou en couple.

Quand faut-il demander de l'aide psychologique ?

- Si vous avez de la difficulté à accepter votre diagnostic d'insuffisance cardiaque et les limites et deuils qui y sont associés.

- Si vous avez des symptômes dépressifs ou anxieux qui persistent la plupart des jours, depuis plusieurs semaines, qui vous font souffrir et qui portent atteinte à votre qualité de vie.

- Si vous avez des difficultés de sommeil.

130

- Si vous avez de la difficulté à gérer ou à exprimer votre colère.

- Si vous avez de la difficulté à suivre les recommandations de votre équipe médicale.

- Si vous éprouvez des difficultés conjugales, relationnelles ou d'ordre sexuel.

- Si vous vous sentez isolé.

- Si vous en ressentez le besoin !

L'ADAPTATION PSYCHOLOGIQUE

SECTION
7

QUESTIONS
PRATIQUES

DES QUESTIONS PRATIQUES

La sécurité

L'insuffisance cardiaque peut vous apporter de la fatigue et une perte d'énergie. La prise de médicaments peut aussi ralentir votre pouls et diminuer votre pression artérielle. Donc, il est possible que vous ayez parfois des vertiges ou des étourdissements, surtout lors des changements de position.

Pour éviter les accidents, voici ce qu'il faut faire :

- vous lever toujours très lentement de votre chaise ou de votre lit ;
- descendre les escaliers lentement et tenir la rampe ;
- placer les meubles pour éviter de trébucher ;
- mettre des tapis antidérapants dans la baignoire et les entrées ;
- porter des chaussures confortables, antidérapantes ;
- mettre une veilleuse dans les corridors la nuit ;
- prendre le temps qu'il faut pour faire vos activités.

Les infections

La circulation sanguine dans votre corps est moins efficace. Vous êtes donc plus fragile à l'infection.

Il peut y avoir des blessures à la peau à cause de l'enflure aux pieds et aux jambes. La guérison est aussi plus lente.

Pour éviter les infections de la peau :

- assécher la peau doucement et éviter de frotter lors du bain ou de la douche ;
- mettre souvent de la crème hydratante non parfumée sur votre peau ;
- éviter de vous mettre au soleil trop longtemps ;
- mettre une crème solaire avec facteur de protection élevé ;
- utiliser un savon doux pour laver les vêtements et bien rincer ;
- éviter les vêtements rugueux ou trop serrés.

Pour éviter les infections des poumons :

- éviter le contact avec des personnes qui ont le rhume ou la grippe ;
- demander à votre médecin de famille ou à votre équipe médicale :

  - le **vaccin contre la grippe** chaque année ;
  - le **vaccin contre la pneumonie** selon les directives de votre médecin.

Le transport / les déplacements

Si vous avez besoin d'aide pour vous déplacer :

- demander à un ami, un voisin, ou quelqu'un de votre famille ;
- vérifier si un transport bénévole ou adapté est offert par vos services communautaires ou les associations et organismes d'entraide de votre localité ;

QUESTIONS PRATIQUES

- consulter le service social de votre hôpital ou l'infirmière de la clinique d'insuffisance cardiaque pour connaître d'autres ressources pour vos transports ;
- vérifier si votre supermarché et votre pharmacie offrent des services de livraison ;
- vous avez peut-être droit à une vignette de stationnement pour les personnes handicapées. Demander à votre médecin, infirmière ou ergothérapeute de vous aider à la remplir.

Les vacances et les voyages

Voici des conseils qui vous aideront à bien profiter de vos vacances et à voyager de façon sécuritaire et agréable.

Préparation :

- choisir votre destination selon votre énergie ;
- prévoir des voyages de courte durée ;
- vous reposer à votre arrivée et avant les activités ;
- faire de petites distances en avion ;
- éviter d'aller en montagne à haute altitude ;
- éviter les efforts tels que :
    - porter ou soulever des bagages lourds ;
    - pousser un chariot.

Médicaments :

- apporter assez de médicaments pour ne pas en manquer. Vous pouvez en emporter pour quelques journées de plus. S'il y a un retard au retour, vous aurez assez de médicaments ;
- apporter la liste de vos médicaments avec vous ;

- demander à votre médecin ou votre pharmacien des médicaments pour les nausées ou la diarrhée et quoi faire en cas de gastro-entérite ;
- demander à votre médecin si vous avez besoin de vaccins.

Climat :

- rester à l'ombre ou à l'intérieur si le temps est très chaud, très humide ou très venteux.

Se protéger du soleil :

- ne pas s'exposer aux heures les plus chaudes ;
- porter un chapeau et des vêtements amples et légers ;
- utiliser une crème solaire (minimum FPS 30).

Nutrition :

- boire de l'eau embouteillée seulement ;
- calculer l'alcool dans votre quantité de liquide permise et limiter votre consommation ;
- éviter les aliments riches en sel et en gras.

Surveillance :

- continuer de surveiller les signes et symptômes d'insuffi- sance cardiaque : fatigue, essoufflement, enflure ;

- se peser le plus souvent possible ;

- appeler votre équipe médicale au besoin, même en vacances.

Le site web de la SQIC

POUR EN SAVOIR PLUS, CONSULTER LE SITE WEB DE LA SQIC

www.sqic.org